LUA VERMELHA

Miranda Gray

LUA VERMELHA

As energias criativas do ciclo menstrual como fonte
de empoderamento sexual, espiritual e emocional

Tradução
Larissa Lamas Pucci

Editora
Pensamento
SÃO PAULO

Título do original: *Red Moon – Understanding and Using the Creative, Sexual and Spiritual Gifts of the Menstrual Cycle.*

Copyright © 1994 Miranda Gray e Richard Gray.

Publicado mediante acordo com Montse Cortazar Literary Agency (www.montsecortazar.com).

Copyright da edição brasileira © 2017 Editora Pensamento-Cultrix Ltda.

1ª edição 2017.

6ª reimpressão 2021.

Todos os direitos reservados. Nenhuma parte deste livro pode ser reproduzida ou usada de qualquer forma ou por qualquer meio, eletrônico ou mecânico, inclusive fotocópias, gravações ou sistema de armazenamento em banco de dados, sem permissão por escrito, exceto nos casos de trechos curtos citados em resenhas críticas ou artigos de revista.

A Editora Pensamento não se responsabiliza por eventuais mudanças ocorridas nos endereços convencionais ou eletrônicos citados neste livro.

Ilustração da capa: "Soberania", de Miranda Gray.

© Miranda Gray, Caitlín Matthews e John Matthews.

Editor: Adilson Silva Ramachandra
Editora de texto: Denise de Carvalho Rocha
Gerente editorial: Roseli de S. Ferraz
Preparação de originais: Luciana Soares da Silva
Produção editorial: Indiara Faria Kayo
Editoração eletrônica: Join Bureau
Revisão: Nilza Agua

Dados Internacionais de Catalogação na Publicação (CIP)
(Câmara Brasileira do Livro, SP, Brasil)

Gray, Miranda

Lua vermelha: as energias criativas do ciclo menstrual como fonte de empoderamento sexual, espiritual e emocional / Miranda Gray; tradução Larissa Lamas Pucci. – São Paulo: Editora Pensamento, 2017.

Título original: Red moon: understanding and using the creative, sexual and spiritual grifts of the menstrual cycle.

ISBN 978-85-315-1969-7

1. Esoterismo 2. Menstruação – Aspectos sociais 3. Menstruação – Folclore 4. Menstruação – Mitologia I. Pucci, Larissa Lamas. II. Título.

17-02202 CDD-305.42

Índice para catálogo sistemático:

1. Mulheres: Ciclo menstrual: empoderamento sexual, espiritual e emocional: Ciências sociais 305.42

Direitos de tradução para a língua portuguesa adquiridos com exclusividade pela
EDITORA PENSAMENTO-CULTRIX LTDA., que se reserva a
propriedade literária desta tradução.
Rua Dr. Mário Vicente, 368 – 04270-000 – São Paulo – SP
Fone: (11) 2066-9000
http://www.editorapensamento.com.br
E-mail: atendimento@editorapensamento.com.br
Foi feito o depósito legal.

Elogios a *Lua Vermelha*

"*Lua Vermelha* me inspirou a compreender minha natureza cíclica. Agora eu posso acolher cada estágio único do meu ciclo e trabalhar em harmonia com meus ritmos naturais. Estou, enfim, trabalhando com meu potencial otimizado, em vez de lutar contra as correntes da vida cotidiana! Este livro é fantástico!"

– Natasha, Reino Unido.

"Os *insights* de Miranda sobre o ciclo menstrual contam a história de como as mulheres são maravilhosamente complexas – podemos passar de Donzelas a Feiticeiras a Mães a Anciãs, tudo em um único mês! Esses quatro momentos distintos do mês revelam possibilidades infinitas para podermos amar nosso pleno, fabuloso e feminino ser. *Lua Vermelha* não apenas me ajudou a me amar e me aceitar como mulher, mas me inspirou a ensinar outras mulheres a se apaixonarem pelos ritmos de nosso corpo. Foi por causa do seu trabalho, Miranda, que o Yoga da Deusa da Lua nasceu. Gratidão!"

– Zahra, Canadá.

"Às vezes só precisamos de alguém que nos explique o que está acontecendo. Gratidão, Miranda!"

– Tina, EUA.

"Minha professora de Chi Kung queria que falássemos sobre menstruação, mas eu tinha uma visão tão negativa a respeito que ela me recomendou *Lua Vermelha*. Li o livro e criei a Mandala Lunar para meu ciclo, anotando todas as minhas experiências por três meses. Nesse tempo, eu me reconciliei com meu ciclo, compreendi as mudanças no meu temperamento, na minha energia e na minha criatividade e, acima de tudo, não me senti culpada por ser como sou. Agora eu recomendo *Lua Vermelha* para todas as minhas amigas e também o releio de tempos em tempos."

– Belén, Espanha.

"*Lua Vermelha* parece um conto de fadas, mas na verdade é muito mais do que isso; trata-se de uma leitura essencial para todas as mulheres! Foi um alívio e uma revelação enorme dar-me conta de que não preciso ser exatamente a mesma pessoa no decorrer do meu ciclo. Acolher todos os diversos aspectos de mim mesma e conhecer cada um dos pontos fracos e fortes de cada aspecto tem sido incrivelmente empoderador."

– Joanna, Reino Unido.

"Toda mulher deveria ler este livro! Ele abre portais para a nossa criatividade e entrar nesse mundo é a melhor coisa que podemos fazer por nós e pelo nosso planeta, agora mesmo!"

– Maria, Suécia.

"Ler *Lua Vermelha* foi como explorar todas as partes de minha condição feminina, algo que eu sempre senti, mas que nunca havia sido capaz de expressar ou reconhecer. Foi uma revelação incrível e maravilhosa."

– Cinzia, Itália.

"Miranda, você deu às mulheres um livro incrível, que fala ao nosso coração, liberta nosso espírito para sermos quem somos e nos dá liberdade para sermos mulheres inconstantes, selvagens, sensuais, confiantes, espirituais, realizadas e amorosas. Por meio de *Lua Vermelha*, eu consegui, enfim, aceitar meu eu cíclico."

– Jasmine, Reino Unido.

"Toda mulher e todo homem deveriam ler este livro. *Lua Vermelha* é uma dádiva para a compreensão do ciclo menstrual. De fato, por mais que eu o recomende, nunca será suficiente. E o recomendo não apenas às mulheres, mas aos homens também, a fim de que possam tentar entender nossa natureza cíclica."

– Resenha da *Amazon.co.uk*

"Eu li *Lua Vermelha* há alguns anos e fiquei intrigada com a ideia de experimentar a Mandala Lunar em mim mesma. Após três meses, fiquei surpresa ao ver que ela de fato correspondia às ideias escritas no livro! Minha amiga e eu nos inspiramos na história do capítulo "O Despertar" e a propusemos a um projeto de teatro recreacional na comunidade onde vivíamos naquela época. Cerca de 15 pessoas (mulheres, homens e crianças) participaram do projeto e elaboraram todo o figurino, criaram o cenário, fizeram as danças coreografadas e selecionaram a trilha sonora. A performance foi exibida numa noite de Lua cheia, na clareira de uma pequena floresta, e o resultado foi simplesmente mágico!"

— Isabella, Itália.

Copyright: Isabella Bresci

Sumário

Agradecimentos 13

Prefácio 15

1. **Introdução** 21
   O propósito deste livro 21
   Como a sociedade vê a menstruação 23
   As energias menstruais 27
   Rumo à conscientização 28

2. **O Despertar** 33

3. **A Escuridão da Lua** 77
   A fêmea dual 81
   A guardiã dos ritmos 88

A árvore do útero 92
A serpente 95
Animais lunares 99
A deusa escura 110
Soberania 114
As xamãs e sacerdotisas 118

4. **Ao Encontro da Lua** 125
O ciclo menstrual 125
A Mandala Lunar 129
Ciclo da Lua Branca e Ciclo da Lua Vermelha 138
Em direção à autoconsciência 141
Use a sua consciência 151
A Mandala Lunar e a vida cotidiana 154
Expanda a Mandala Lunar 192
Aprofunde o seu trabalho com as energias 196

5. **A Lua Criativa** 199
A criatividade das mulheres 199
O Despertar das energias criativas 207
Liberação das energias criativas 214

6. **A Espiral da Lua**... 255

    Tradições femininas... 255

    Resgate os arquétipos femininos ausentes............. 258

    Como orientar e ensinar seus filhos..................... 261

    Ritos de passagem... 265

Posfácio... 291

Créditos das Ilustrações...................................... 293

Agradecimentos

Meus agradecimentos a todos aqueles que ajudaram no desenvolvimento inicial deste livro, seja discutindo experiências pessoais comigo, seja compartilhando sua própria compreensão e seus *insights*. Um agradecimento especial à Naomi Ozaniec, pelo apoio e encorajamento inicial, e à Julia McCutchen, da Element Books, por ter confiado no conceito desta obra.

Eu também gostaria de agradecer a todas as mulheres que, no decorrer dos anos, desde a primeira publicação de *Lua Vermelha*, compartilharam suas experiências comigo e às que, inspiradas neste livro, usaram as ideias e os conceitos presentes nele em grupos e cursos. Saber que *Lua Vermelha* tocou a vida das mulheres de uma forma positiva é uma honra.

Por fim, eu gostaria de agradecer a meu marido, Richard. Sem seu amor, sua ajuda, seu apoio e seu trabalho de edição, meus livros nunca teriam se tornado realidade. Eu sou uma mulher de sorte por ter um companheiro tão maravilhoso.

Prefácio

Pouco tempo atrás me perguntaram sobre o que me levou a escrever *Lua Vermelha*, e achei que seria interessante compartilhar essa história com as minhas leitoras.

Depois de terminar a universidade com uma graduação em Ciências me matriculei num curso de ilustração científica. Era uma alegria ser criativa e, durante o curso, eu me dei conta de como minha criatividade mudava e fluía. Após completar o curso, comecei a trabalhar em casa como ilustradora *freelancer*, e passei a sentir muita pressão para ser criativa o tempo todo e cumprir os prazos editoriais.

Com os meses, ficou muito óbvio para mim que eu tinha dois estilos de arte muito diferentes: o estilo preciso e detalhado que os editores queriam, e outro mais livre, expressivo e representativo, que eles *não* queriam. Meu desafio era o fato de ser quase impossível conseguir o estilo detalhado durante a fase pré-menstrual e os dias iniciais da fase menstrual. Sem ter controle sobre os prazos, isso me causava, com frequência, enorme estresse, frustração e lágrimas.

Com meu trabalho, também tomei consciência do que eu achava fácil ou difícil durante o mês. Havia momentos em que eu não conseguia falar com as pessoas, momentos em que minha confiança e autoestima estavam em alta, momentos em que minha concentração estava baixa, momentos em que escrever era fácil e momentos em que encontrar as palavras era uma luta. Suponho que foi a frustração com minha inconstância que me instigou a olhar para meu ciclo em busca de respostas. Notar minhas mudanças com base em meu ciclo, com a ajuda das informações encontradas no livro *The Wise Wound*, de Penelope Shuttle e Peter Redgrove, permitiu-me reconhecer os padrões cíclicos na energia física, na força emocional e na sensibilidade, na concentração e nos processos mentais, na sensualidade e nas energias sexuais, bem como na criatividade e na espiritualidade.

Àquela altura, minha experiência e meu interesse estavam concentrados em mitos, lendas, contos folclóricos e na espiritualidade baseada na natureza e na divindade feminina, e eu trabalhava com alguns autores inspiradores no campo das tradições espirituais celtas e arthurianas. Eu queria encontrar referências para minhas experiências, encontrar arquétipos com os quais pudesse me identificar e que me proporcionassem uma conexão com a profunda espiritualidade feminina que sentia dentro de mim. Eu me voltei para a mitologia em busca desses arquétipos e os encontrei em histórias infantis e contos folclóricos. Encarei com relutância a interpretação moderna da divindade feminina expressa em três arquétipos – nas histórias, eu a encontrava em *quatro* arquétipos. Ela era as três fases luminosas da Lua e a quarta fase, oculta; e também as quatro estações da força da vida na Terra: as três fases da manifestação e a quarta, do retiro no inverno. Encontrar esses arquétipos me mostrou que essas experiências não eram exclusivamente minhas e que existia uma antiga tradição de sabedoria menstrual paralela ao meu entendimento e conectado ao passado obscuro e distante. Depois de encontrar os arquétipos, quis então saber se outras mulheres compartilhavam de minhas experiências e comecei a perguntar a cada mulher que encontrava sobre seu ciclo. Foi um choque ouvir as mesmas experiências como resposta. Isso me inspirou a investigar a literatura existente sobre o ciclo menstrual, e enquanto fazia isso senti que tinha meu próprio livro a escrever.

Eu tenho um pensamento bastante visual; palavras eram e ainda são um meio difícil para mim, e ser escritora nunca havia sido uma aspiração. De qualquer forma, enquanto tentava escrever sobre algumas ideias, fiz uma descoberta sensacional: eu conseguia escrever em minha fase pré-menstrual. Nessa fase as ideias vinham com fluidez, e eu conseguia encontrar as palavras certas com facilidade, criar uma sentença que falasse ao meu coração e ter tudo fluido e ordenado; até minha gramática melhorava! Foi um verdadeiro momento de "eureca" e, como eu já havia produzido alguns trabalhos de ilustração para a Element Books, uma editora focada no estilo de vida alternativo e na espiritualidade, consultei os editores sobre minha proposta. Sou muito grata à Julia McCutchen por colocar a meu livro e a mim "a bordo", mesmo não sabendo, àquela altura, que eu só conseguia escrever uma semana por mês!

Por ser uma pessoa que escreve com base em sentimentos e imagens, uma história era o meio mais direto e natural para eu apresentar as minhas ideias em *Lua Vermelha*. Assim, o livro começa com a história de uma jovem menina chamada

Eva. Usar uma história me permitiu apresentar os arquétipos sem nenhuma definição, no intuito de que, dessa forma, eles pudessem ressoar no subconsciente e nos sentimentos dos leitores. Tendo sentido que os arquétipos são adequados, e talvez percebido uma inclinação para se reconectar a eles, o restante do livro poderia então ser lido com o coração e a mente, em vez de apenas com a mente.

Escrever este livro me fez formalizar minhas experiências das quatro fases e as informações que eu havia recebido de outras mulheres, além de escrever as práticas que havia desenvolvido em minha própria vida a fim de entrar em sintonia com minha natureza cíclica. O livro começou com uma pilha de papéis soltos, com frases rabiscadas e parágrafos estranhos, a maioria escrita em minha fase pré-menstrual, mas sempre com a anotação da fase específica em que eu estava escrevendo. Eu queria escrever enquanto estivesse experimentando as energias e percepções de cada fase – ou melhor, queria escrever com a *voz* do arquétipo. Richard, meu marido, me ajudou muito com a criação do manuscrito final e disse que era óbvio para ele em qual fase eu me encontrava ao escrever cada trecho.

Lua Vermelha foi publicado em um momento no qual muitas mulheres exploravam a espiritualidade feminina e escreviam sobre ela. Minha esperança àquela altura era de que ele se tornasse parte de um movimento que visasse trazer o ciclo menstrual de volta a seu lugar de direito na sociedade e na cultura, como uma fonte incrível de criatividade, inspiração e sabedoria, capaz de apoiar e ajudar o crescimento social. Eu gostaria de ver o ciclo menstrual ser ensinado nas escolas como algo mais que um simples processo biológico e de ver as mulheres usarem seu ciclo natural e as energias de seu ciclo menstrual de forma ativa em sua vida cotidiana. Eu queria que o ciclo menstrual se tornasse um assunto popular. Infelizmente, não foi o caso. A necessidade de *Lua Vermelha* é tão grande agora como era na época em que foi publicado pela primeira vez, mesmo havendo muito mais livros disponíveis e mais mulheres promovendo cursos e comunidades na internet. Nos dias atuais, as mulheres estão começando a levar a informação de seus ciclos à sua vida cotidiana, porém essa informação permanece encoberta. Ao olhar para o mundo dos negócios e do *coaching* para a vida e do autodesenvolvimento e ao me perguntar "Se as mulheres sabem sobre suas energias cíclicas, onde está a evidência para isso?", lancei o livro *The Optimized Woman – Using the Menstrual Cycle to Achieve Success and Fulfilment*. A história desse livro fica para uma outra vez, mas esse é o próximo passo na jornada da mulher cíclica. Nossa natureza cíclica não é apenas para nossa vida pessoal ou para nossas práticas de crescimento espiritual, é para o escritório e o trabalho, para nossa comunidade e cultura, para nossos objetivos de vida e sonhos e para nossa habilidade de sermos felizes, de termos sucesso e atingirmos bem-estar e realização na vida. Como mulheres cíclicas, temos uma dádiva incrível e é hora de tomar conhecimento dela, propagá-la pelo mundo e fazer com que seja notada!

Durante esses anos todos, eu me senti muito tocada e honrada com as respostas das mulheres que leram *Lua Vermelha* e o receberam como uma inspiração e um impacto positivo em suas vidas. Sinceramente, espero que essa edição revisada continue a inspirar da mesma maneira.

Miranda Gray

UM

Introdução

O PROPÓSITO DESTE LIVRO

NA SOCIEDADE MODERNA, o ciclo menstrual é vivenciado como um evento passivo: reconhecemos que ele acontece, mas o ignoramos ou escondemos. Dizem às mulheres que elas precisam "enfrentar" qualquer sofrimento ou necessidade sem fazer muito alarde, pois isso é "parte do ser mulher". Por causa disso, as mulheres muitas vezes escondem suas dificuldades, por medo de serem vistas como pessoas fracas ou acusadas de fazerem uma tempestade num copo d'água. Essa falta de comunicação e de reconhecimento social perpetua o isolamento do ciclo menstrual como um evento furtivo. *Lua Vermelha* vem para mostrar que o ciclo menstrual é, na verdade, um evento dinâmico que, quando livre de condicionamentos e restrições sociais, pode afetar positivamente o crescimento físico, emocional, intelectual e espiritual de uma mulher, da sociedade e do ambiente no qual ela vive.

A mulher que menstrua vive numa sociedade de orientação masculina, o que influencia sua percepção do mundo e de si mesma. Essa sociedade não oferece nenhuma diretriz, estrutura ou conceito para os sentimentos e experiências características do ciclo menstrual, nem reconhecimento das expressões que podem surgir a partir dele. *Lua Vermelha* oferece às mulheres maneiras pelas quais elas podem se tornar mais conscientes de seu ciclo menstrual e compreender melhor as energias associadas a ele. A experiência do ciclo é diferente para cada mulher, e as ideias de *Lua Vermelha* devem ser adaptadas de forma que se encaixem às necessidades de cada pessoa.

Lua Vermelha aborda a questão do ciclo menstrual de duas perspectivas diferentes. Apesar de serem escassos na sociedade moderna, muitos ensinamentos e ideias relacionadas ao ciclo menstrual podem ser encontrados em lendas, mitos, contos folclóricos e histórias infantis. *Lua Vermelha* oferece uma reinterpretação de algumas dessas histórias, algumas bem conhecidas, e utiliza os contos comuns e sua simbologia inerente numa nova história chamada "O Despertar" (Capítulo 2), como base para a mulher entender a natureza cíclica da sua feminilidade. Mesmo que conceitos e estruturas sejam importantes para auxiliar a compreensão, eles também precisam ser baseados na experiência pessoal; nesse sentido, *Lua Vermelha* também sugere formas de a mulher se tornar mais consciente de seu próprio ciclo pessoal e de sua maneira de percebê-lo por meio da interação que tem com ele a cada mês.

Essas duas abordagens estão inter-relacionadas. As histórias e a mitologia que contêm imagens associadas ao ciclo menstrual vieram das experiências pessoais das mulheres e então se tornaram um meio para que as mulheres modernas compreendessem suas próprias experiências do ciclo menstrual. No decorrer de *Lua Vermelha*, a importância da consciência pessoal é enfatizada com sugestões práticas e exercícios, e alguns deles, se não todos, podem ser incorporados à vida cotidiana com facilidade. Em *Lua Vermelha*, considera-se o ciclo menstrual por inteiro como "a experiência da menstruação", e não apenas como um período de sangramento. Este livro oferece um guia e sugestões práticas sobre métodos de interação com as energias do ciclo menstrual. Além disso, mostra maneiras pelas quais as mulheres podem partilhar sua compreensão com suas filhas e outras mulheres.

COMO A SOCIEDADE VÊ A MENSTRUAÇÃO

Durante séculos, o ciclo menstrual tem sido visto com repulsa ou desprezo, como algo sujo, um sinal de pecado, e sua existência reforçou uma posição inferior para a mulher numa sociedade de dominação masculina. A menstruação ainda é vista atualmente como uma desvantagem biológica, que tornaria as mulheres profissionais emotivas demais e pouco racionais ou confiáveis.

Na industrializada cultura ocidental, que gosta de se considerar "esclarecida", ainda é raro se falar de modo aberto sobre o ciclo menstrual, a não ser em termos médicos. Existem barreiras entre mães e filhas, esposas e maridos, irmãs e amigas. Muitas mulheres passam a vida odiando a si mesmas e se sentindo culpadas por se sentirem deprimidas, irritadas, inchadas e desajeitadas em certos períodos do mês. Quantas mulheres passaram adiante esse ódio e esse medo às suas filhas, verbalmente ou pelo modo como se comportavam? Para quantas mulheres a primeira menstruação não foi uma experiência assustadora porque elas não sabiam nada a respeito dela ou, no melhor dos casos, conheciam apenas os detalhes clínicos, que não explicavam nada a respeito de como elas se sentiam? Na sociedade moderna, em que não existem mais ritos de passagem, quantas meninas puderam sentir a sua nova condição de mulher adulta como se recebessem uma dádiva e obter orientação sobre como crescer com essa experiência? Ao aprender sobre as dádivas do seu próprio ciclo menstrual e vê-los sob uma luz positiva, as mulheres serão mais uma vez capazes de orientar suas meninas para que acolham com alegria a sua condição de mulher e os ciclos inerentes a ela.

Muitas mulheres sofrem, mental e fisicamente, com a menstruação e, em geral, a ajuda oferecida se limita apenas a combater os sintomas. Com relação à causa, que é obviamente o fato de ser mulher, não há nada a se fazer. A síndrome pré-menstrual foi aceita como um fato na sociedade moderna, mas seus efeitos ainda são considerados negativos e destrutivos. Foi preciso muita luta para que a sociedade, as ciências médicas e a lei se conscientizassem de que a menstruação traz um estado de consciência alterado à mulher, mas não há mais nenhuma estrutura ou tradição que ajude as mulheres a compreender e usar essa consciência de maneira positiva.

Mulheres que menstruam são cíclicas por natureza, mas, com a visão linear que a sociedade tem do tempo e dos acontecimentos, com frequência é difícil que elas percebam essa natureza cíclica, que a reconheçam e façam uso dela em sua vida. Mesmo quando as mulheres registram as datas de seu ciclo todo mês num diário, pode ser difícil observar que essas datas compõem um ciclo de eventos, em vez de vê-las como um padrão linear repetitivo. O uso das Mandalas Lunares como método para registrar essa informação e vê-la de outra maneira será apresentado no Capítulo 4. Se as mulheres tomarem consciência de que são seres cíclicos durante o período da vida em que menstruam, vão começar a se reconhecer como parte dos ritmos maiores do universo, aceitar mais sua verdadeira natureza e encontrar harmonia em sua vida.

O tabu da menstruação

O poder da menstruação era reconhecido por culturas do passado e ainda é por algumas poucas sociedades da atualidade, mas as práticas criadas pelas mulheres para ajudá-las com suas energias criativas foram extremamente reprimidas pelas sociedades patriarcais, que viam o poder menstrual como algo perigoso ao homem. A menstruação deixou de ser sagrada para tornar-se suja e contaminada. As mulheres menstruadas eram vistas como uma fonte viva de energia destrutiva, cuja feminilidade tinha um poder mágico imensurável que não poderia ser contido, a não ser que essas mulheres fossem banidas da comunidade ou mesmo do mapa. Acreditava-se que essa magia incontrolável contaminaria qualquer coisa que entrasse em contato com ela e que seria perigosa sobretudo para os homens, para seu estilo de vida, seus bens e animais de criação.

Ao primeiro sinal de sangramento, as mulheres eram muitas vezes apartadas da comunidade em que viviam. Em várias culturas, isso significava confiná-las a uma tenda afastada de sua aldeia e partilhada por todas as mulheres menstruadas da tribo. Nem sequer lhes permitiam tocar os utensílios da vida diária, e qualquer objeto com que viessem a ter contato ficaria "contaminado" e teria de ser destruído. As mulheres menstruadas eram proibidas de tocar, em especial, qualquer pertence masculino; os homens temiam que o objeto fosse possuído por um poder capaz de causar sua morte ou de fazê-los perder a coragem na caça. Em algumas culturas, a pena por romper esse tabu era a morte. Outras mulheres podiam visitar as que estavam menstruadas, mas os homens da comunidade eram proibidos de vê-las ou de serem vistos por elas.

As limitações impostas às mulheres menstruadas não estavam relacionadas apenas aos locais que podiam frequentar, ao que podiam tocar ou a quem podiam ver, mas com frequência também ao que podiam comer. Em alguns casos, elas eram proibidas de comer carne ou beber leite, se acaso tivessem provocado uma caça ruim ou secado o leite das vacas. As mulheres menstruadas eram vistas como seres tão impuros que eram capazes de ofender a natureza e causar mudanças na ordem natural das coisas.

O momento mais "perigoso" para a comunidade era quando a menina moça tinha seu primeiro sangramento. As restrições à criança eram com frequência versões extremas das aplicadas às mulheres adultas. O confinamento poderia durar até sete anos, e a menina poderia ficar presa numa pequena jaula, proibida de caminhar pela terra ou ver o sol.

O tabu menstrual, no entanto, não se limita apenas às sociedades primitivas ou do passado. Até hoje, em muitas religiões, são impostas restrições, físicas ou mentais, às mulheres menstruadas. Na cultura islâmica, por exemplo, uma mulher menstruada ainda é proibida de entrar na mesquita;

no passado, a pena para essa transgressão era a morte. Em algumas culturas cristãs, por sua vez, a menstruação representa o pecado original de Eva, um pecado com o qual toda menina nasce. Acredita-se que as mulheres cristãs não serão jamais libertadas desse pecado e terão de pagar por ele a vida toda se quiserem entrar no Paraíso. Isso assegura que nenhuma mulher seja sagrada o bastante para tomar parte da religião de forma ativa.

As mulheres precisam saber até que ponto sua postura em relação à menstruação foi moldada pela história da sociedade. Quando tiverem se dado conta disso, poderão romper com esse condicionamento social, encarar com novos olhos a menstruação e descobrir o que ela significa para si mesmas, independentemente da visão de qualquer outra pessoa ou grupo.

AS ENERGIAS MENSTRUAIS

Neste livro, o termo "menstrual" é usado para tratar questões pertinentes a todo o ciclo mensal, não só para indicar o período de sangramento. As energias criativas ligadas ao ciclo menstrual têm diferentes orientações e aspectos, e estão ligadas ao ciclo uterino. Se um óvulo liberado por um dos ovários é fecundado, essas energias se expressarão na formação da nova vida; se ele não for fecundado, a energia ganhará forma na vida da mulher de algum outro modo.

Não se podem limitar ou controlar as energias do ciclo menstrual; essas energias, quando bloqueadas ou restringidas, podem aparecer de forma destrutiva. A energia precisa ser aceita como um fluxo que se expressará de um jeito próprio. Lutar contra esse fluxo pode causar sofrimento físico e mental, porque a mulher resistente a ele combate sua própria natureza, e com frequência o resultado pode ser agressividade, raiva e frustração. *As energias menstruais encontram sua expressão nas variadas faces da natureza criativa de uma mulher.*

Retirar-se da sociedade no período de sangramento era uma forma natural de expressão das energias da menstruação. Era o momento de ensinar e aprender e o momento de usar as energias coletivas de todo o grupo de mulheres menstruadas. O confinamento na puberdade, originalmente, não era um conceito negativo, mas a maneira pela qual as mulheres sábias ensinavam às meninas sobre a natureza de seu corpo, as energias de que tomavam consciência e as tradições espirituais que as acompanhavam. Isso significava que, depois da puberdade, a mulher podia desabrochar em equilíbrio e harmonia com sua natureza e usar suas energias em favor da comunidade e da terra.

RUMO À CONSCIENTIZAÇÃO

Exercício

Na correria da vida cotidiana, é muito difícil encontrar tempo para levar adiante mais um projeto. Até mesmo encontrar quinze minutos para escrever um diário pode ser um problema, quando passar esses minutos a mais na cama pode ser vital! No entanto, para entender as energias de seu próprio ciclo menstrual e fazer um registro dos exercícios sugeridos neste livro, você precisará manter uma espécie de agenda ou diário. Logo depois do primeiro mês, você já poderá ter uma ideia de como seu ciclo se apresenta, mas, para obter uma representação razoável dele nos diagramas lunares, vai precisar manter um registro detalhado, conforme explicado a seguir, por no mínimo três meses.

Uma boa sugestão é continuar anotando impressões, ideias e sonhos depois de passados os três meses, como forma de registrar seus *insights* e experiências. As anotações não precisam ser longas, mas devem incluir alguns detalhes:

ANOTAÇÃO

DATA

DIA DO CICLO

Considere o primeiro dia de sangramento como o número um. Se você não sabe em que dia está, continue com as anotações até o início do seu próximo sangramento.

FASE DA LUA

A maioria dos jornais e calendários informa a fase na qual a Lua se encontra. Faça um desenho que demonstre se ela está cheia, escura*, minguante ou crescente.

SONHOS

Caso você se recorde de um sonho, anote dele o essencial ou qualquer tema ou imagem forte que ele traga. Talvez você perceba que

---

* No decorrer deste livro, a fase da Lua chamada em língua portuguesa de "Lua nova" será denominada sempre como "Lua escura", a fim de criar uma correspondência imagética com o aspecto representado por essa Lua, conforme sugere o termo em inglês. (N.T.)

consegue se lembrar dos sonhos logo ao despertar e, depois de alguns minutos, já os esqueceu. Tente conservar essa lembrança, descrevendo o sonho por escrito assim que acordar ou recapitulando-o mentalmente em detalhes, para deixar impresso em sua mente o que você quer lembrar. Então, registre-o em seu diário assim que tiver tempo.

SENTIMENTOS
Tente lembrar como você se sentiu durante o dia. Feliz, desanimada, cansada, sociável, alheia ao resto do mundo, intuitiva, em paz? Sente inclinação para certas atividades ou estilos de roupa? Observe sua sexualidade: você se sente sensual, amorosa, generosa, espiritual, criativa, erótica, selvagem, carente, voluptuosa, agressiva, vazia? Não é importante anotar a frequência de suas relações sexuais, caso tenha um parceiro, mas sim perceber como se sente com a energia sexual e os sentimentos que ela provoca em você.

SAÚDE
Registre qualquer dor ou indisposição menstrual, desejos intensos por algum tipo de alimento e também os momentos em que você se sente estressada.

É necessário que você fique consciente de seu ciclo e da maneira como ele a afeta, mas você também precisa examinar o seu passado menstrual e considerar os relacionamentos e influências à sua volta, sejam eles atuais ou não. Passe um tempo tentando se lembrar de como foi a sua primeira menstruação. O que você sabia sobre a menstruação naquela época? Foi uma experiência assustadora ou constrangedora? Qual foi a reação de sua mãe, de sua família, de seus amigos da escola ou professores? Pense também sobre como sua mãe e outras mulheres ou parentes próximas viam a própria menstruação. Você teve alguma conversa com elas a respeito de sua primeira menstruação? Se tem filhas, como você as ensinou ou ensinará sobre seu ciclo e sobre o ciclo delas?

Observe a relação que seu companheiro, seus colegas de trabalho e seus amigos têm com a menstruação. Ela é ignorada, tratada como "problema de mulher", transformada em piada ou mencionada de modo depreciativo? Você ou seu parceiro não gostam de fazer amor quando você está no período de sangramento? Por quê? Resuma seus pensamentos nesse diário.

O capítulo a seguir apresenta conceitos e ideias ligados ao ciclo menstrual, vindos de diferentes culturas e lendas e combinados numa única história chamada "O Despertar". Os assuntos, imagens e conceitos apresentados serão expandidos nos capítulos seguintes.

O objetivo de usar uma história assim é incentivar você a se identificar com certas personagens e imagens ligadas ao ciclo menstrual. Essa identificação desencadeará o processo tradicional de iniciação, que é a obtenção de conhecimento por meio da visualização e da composição imagética. A participação nessa história, seja escutando-a ou lendo-a, propicia compreensão e inspiração por meio de emoções e sentimentos, ligando os conceitos apresentados à natureza *intuitiva* da mente, não ao intelecto.

"O Despertar" contém muitos níveis de significado, o que permite que você participe em seu próprio nível de entendimento. Não se preocupe se sentir que não compreende todos os significados da história; muitos se tornarão mais evidentes à medida que você fizer os exercícios de conscientização apresentados.

Depois de ler *Lua Vermelha* e fazer os exercícios, convém voltar à história "O Despertar" e ao capítulo seguinte, para comparar com a sua primeira leitura e reforçar a sua compreensão de seu próprio ciclo com as imagens presentes na mitologia e nos contos folclóricos.

DOIS

O Despertar

DEITADA EM SUA CAMA, NO ESCURO, Eva soltou um profundo suspiro. Por algum motivo, o dia tinha sido muito ruim; tudo tinha dado errado e agora a haviam mandado para o quarto, porque tinha brigado com o irmão. Com raiva e frustrada, ela atirou o travesseiro contra a porta e enfiou a cabeça sob o cobertor. Podia escutar a mãe falando do alto da escada, enquanto o irmão, choroso, se lamentava.

Eva rolou na cama e ficou de lado. Sua atenção se voltou para a luz prateada e brilhante que se derramava pela janela do quarto. Por um instante, o tempo pareceu parar e os murmúrios da televisão e de sua família ficaram distantes. Lentamente, Eva saiu da cama e atravessou o quarto, que já não lhe parecia tão familiar, banhado com aquela luz prateada. Diante da janela, ela se ajoelhou numa cadeira velha sobre a qual havia uma grande pilha de roupas e, abrindo o trinco, debruçou-se no parapeito, sentindo a noite quente e mágica. Uma brisa suave brincava com as pontas de seus longos cabelos. A cidade parecia tomada por uma calmaria estranha e, ao fundo, o barulho do trânsito de fim de noite era um rumor distante. A janela do quarto era voltada para o sul e, dali, Eva podia ter uma boa visão dos telhados.

Bem à sua frente, no céu de um azul-marinho profundo, pairava a Lua cheia, acompanhada de uma única estrela. Em silêncio, Eva fez um pedido. A Lua parecia estranha flutuando sobre a cidade pulsante, e Eva pôde sentir sua magia alcançá-la e tocar gentilmente seu centro mais profundo. O corpo de Eva parecia se fundir e fluir, unindo-se à luz da Lua e à terra sob a casa, e ela soube que, ali mesmo, a mesma Lua brilhara por milhões de anos. Numa compreensão repentina, o tempo ficou visível: um fio prateado brilhante que fluía de Eva até a escuridão do passado. Com os pés ancorados na terra, o tempo tocou sua consciência e uma cidade mais jovem se revelou diante dela, iluminada pelos incêndios provocados pelas bombas de guerra. O tempo a tocou outra vez, e ela viu um pequeno povoado entre dois rios ser atacado por invasores, que ancoravam seus barcos às margens pedregosas. As imagens se transformavam numa rápida sucessão: um pequeno grupo de pessoas cavando uma vala com picaretas feitas de chifre, florestas desalojando pessoas e gelo em ondas brancas varrendo a terra nua. Florestas, rios, oceanos e desertos avançavam e retrocediam, sempre com a mesma Lua prateada brilhando no alto. A terra emergiu dos mares primevos e, por um instante, Eva passou de uma consciência pequena e limitada ao entendimento da imensidão da idade da Lua e de sua companhia silenciosa a tudo o que havia vivido.

Do pivô da criação, o tempo se desenrolou em direção ao futuro e carregou a consciência de Eva com ele. Diante de seu olhar, sob a luz da Lua cheia, as primeiras criaturas da Terra surgiam das águas de onde haviam nascido; uma fêmea

de macaco, sentada nos galhos altos de uma árvore, levantava as mãos querendo tocar a face da Lua; e uma mulher das cavernas tatuada agachava-se nua e oferecia ao alto o filho recém-nascido. Eva também assistiu a uma sacerdotisa vestida de branco espalhar incenso num braseiro dourado, diante de um espelho de prata, e uma menininha de cabelos negros se inclinar à janela e contemplar a Lua.

Ainda na névoa da luz prateada, Eva sentiu as espirais do tempo deixarem sua consciência, mas a corrente de vida, capaz de conectá-la com todos os outros que já haviam contemplado a Lua, permaneceu. Ela tinha parentesco com todas aquelas mulheres, parte de uma irmandade que também tinha sido tocada pela Lua e muitas vezes respondia a esse corpo celeste. Ao redor do mundo, a região, a língua e a cultura podiam ter mudado, mas todas haviam observado a mesma Lua, cuja luz e cujas fases conectavam a todas.

Ainda que a visão da Lua tenha feito Eva se sentir pequena e insignificante diante da passagem do tempo, agora ela se sentia parte de algo especial, que ia além de sua vida cotidiana. Eva estendeu as mãos como se fosse tocar aquele corpo celeste e sussurrou com doçura:

– Companheira das mulheres, olhe por mim!

Ela não sabia bem por que havia dito aquilo, mas sentira uma estranha necessidade de expressar o repentino elo estabelecido com a Lua. Atrás dela, como se estivesse em outro mundo, Eva escutou os pais desligarem a televisão e viu as luzes de sua casa se apagarem. Mesmo desejando permanecer com a Lua por toda a noite, o sono fez com que ela se afastasse relutante da janela. Sob as cobertas, observou a Lua com olhos que se fechavam, até suas pálpebras pesarem a ponto de não conseguir mais mantê-las abertas.

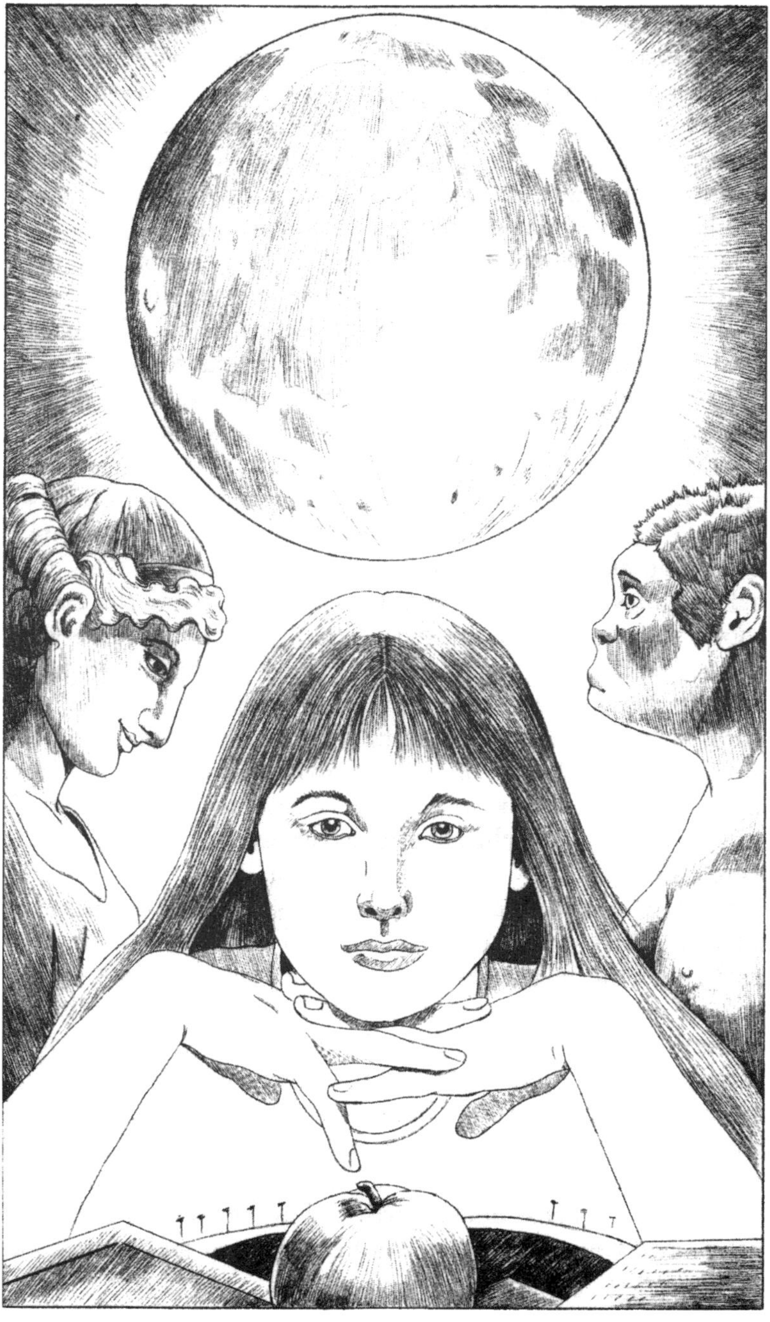

O medo latejou em sua mente adormecida. Na escuridão, algo maldoso a perseguia. Eva correu às cegas por entre formas escuras, com um terror crescente e um grito estrangulado na garganta. Não sabia do que estava fugindo, nem se aquilo tinha forma ou se era um fantasma ou espírito, mas sabia que o medo brotara das profundezas de seu ser. Galhos e ramos arranhavam seu rosto e suas mãos enquanto ela lutava para abrir caminho por entre os galhos emaranhados de uma densa floresta. Aquilo se aproximava, e Eva podia sentir sua presença repulsiva em seu encalço.

Enquanto Eva fugia, a nota urgente de uma trompa de caça rompeu o silêncio da noite e, por um instante, ela parou, arfando, incerta sobre que direção seguir. De canto de olho, viu uma sombra se mover rapidamente em sua direção. "Tarde demais!", sua mente gritou enquanto ela se virava e se enfiava no meio da vegetação. Espinhos rasgavam suas roupas e pernas enquanto ela se forçava a seguir em frente. Com um pânico selvagem, Eva olhou para trás e viu que duas outras formas horríveis haviam se unido à primeira.

A garota se agarrou desesperada aos arbustos, porém, quanto mais tentava avançar, mais difícil era se desvencilhar dos espinhos. Presa, viu o terror tomar conta dela e se agachou, chorando. Ela cobriu o rosto com as mãos e começou a rezar com fervor para que não a encontrassem. No entanto, por entre os dedos, ainda via as sombras se movendo na sua direção. Ela fechou os olhos com mais força ainda e chorou.

De repente, uma luz brilhante pareceu irromper diante dela, fazendo-a ver uma parede vermelha contra suas pálpebras. Ela começou a abrir os olhos e divisou a forma de uma mulher em meio à luz. De costas para Eva e de frente para as sombras, a mulher ergueu os braços e pronunciou um único comando, fazendo com que as formas aterrorizantes se esgueirassem furtivamente de volta às trevas. A mulher inclinou a cabeça como se tentasse escutar algo, e Eva pôde distinguir apenas o som evanescente de uma trompa soar em retirada, já bem longe dali. Quando a mulher se virou para Eva, sua aura brilhante foi se dissipando e revelando sua silhueta, alta e brilhante, sob a luz prateada da Lua. O medo deu lugar ao deslumbramento. Eva se livrou com cuidado dos espinhos e esticou os dedos para tocar a mão estendida da Dama da Lua.

A Dama da Lua sorriu:

— Bem-vinda, criança! — Parecia que aquelas palavras haviam ecoado na mente de Eva com a voz de milhões de mulheres. Ela pensou jamais ter visto uma mulher tão linda, com aquela pele de um branco prateado suave sob a luz da Lua e aqueles olhos cintilando com o reflexo do corpo celeste. A mulher usava um vestido longo, de um azul pálido, e um xale de tecido cobria seus ombros, preso por um broche de prata. Seu cabelo descia solto pelas costas, longo e claro, e uma mecha solitária caía sobre a testa. Eva sentiu-se segura em sua presença e foi tomada pela estranha sensação de que já conhecia aquela mulher por toda a sua vida. A Dama da Lua conduziu-a para fora dos arbustos e, enquanto andavam por entre as árvores banhadas de luz prateada, com uma voz musical e suave, como uma fonte borbulhante, ela falou:

— Esta noite é muito especial para você. Ela marca a passagem da roda da vida, da infância à maturidade. Minhas irmãs e eu a conduziremos esta noite e, ainda que não compreenda tudo que vai ver ou sentir enquanto se torna mulher, você poderá ao menos começar a compreender.

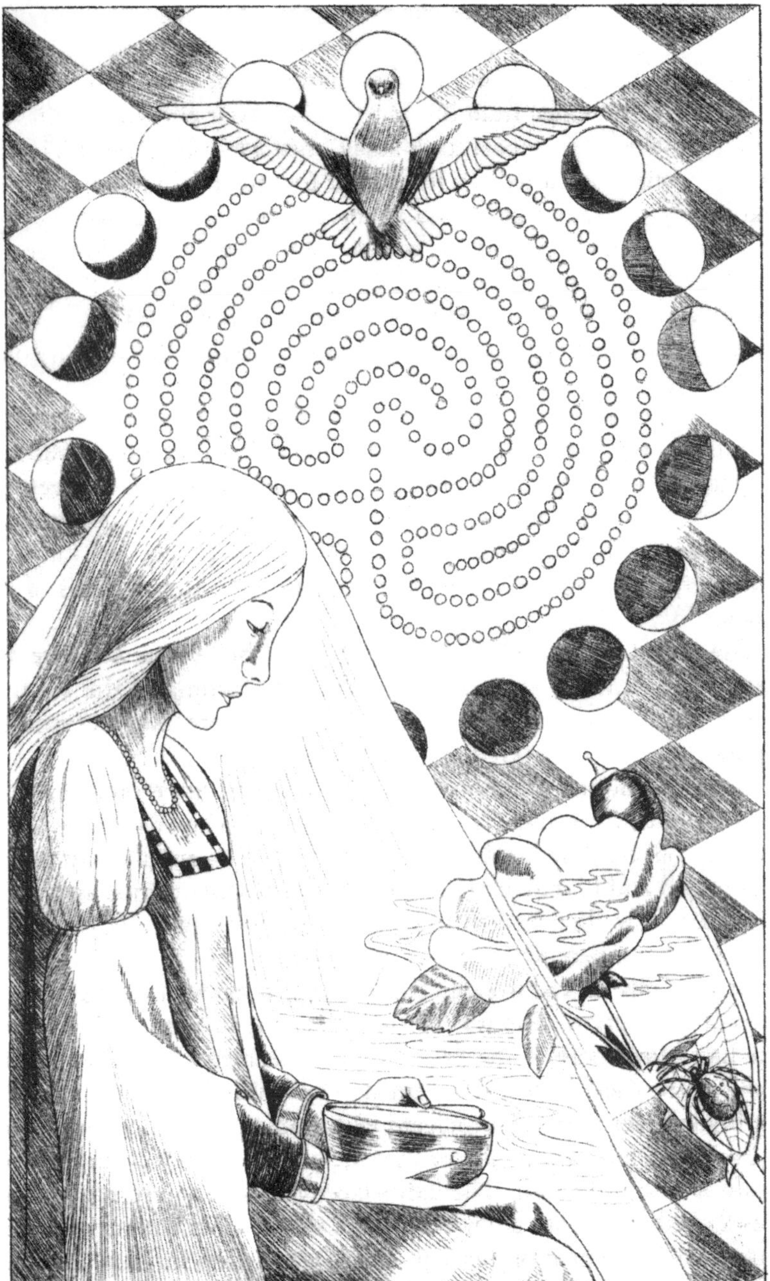

— Enquanto você é criança, suas energias são lineares; elas fluem constantemente na direção de um único objetivo, que é fazê-la crescer, mental e fisicamente, e se transformar de bebê em adulta. Na transformação da criança em mulher, essas energias deixam de ser lineares e se tornam cíclicas. Suas energias seguirão um ritmo que se repetirá, de modo aproximado, a cada mês. A cor e o sabor do seu ritmo serão pessoais, e estou aqui para ajudá-la a ter consciência disso e a conhecer suas diferentes energias interiores.

A caminhada as levou a uma pequena clareira na floresta e, quando Eva olhou para cima, na direção da Lua, suspirou deliciada ao ver uma miríade de estrelas dançando como diamantes nas ondas da noite. Por um momento, o céu se aprofundou e Eva contemplou ao longe a vastidão ilimitada do universo.

— Como mulher, você está conectada ao ritmo e à pulsação do universo, que é ao mesmo tempo longa e breve. — As palavras da Dama da Lua soaram como um sussurro na vastidão do espaço. — Por gerações e gerações, as mulheres sempre foram o ponto de ligação entre a humanidade e o universo. Por meio da menstruação, as fêmeas dos macacos se desenvolveram separadamente do restante do reino animal, e cada sangramento delas era como um relógio em sintonia com os ritmos do cosmos.

As palavras atraíram a alma de Eva e ela ansiou deixar as restrições de seu corpo e se fundir ao giro das estrelas. Um arrepio percorreu sua espinha e a cena tremulou e se transformou, como ondulações na superfície de um lago.

Eva viu-se de pé num espaço imenso, escuro e circular, com um piso de ladrilhos em preto e branco. No centro desse espaço, havia quatro imponentes tripés de cobre sustentando tigelas com chamas cuja luz fraca e tremulante iluminava uma figura sentada, com a face voltada na direção oposta à de Eva. Curiosa, a garota andou até a figura, consciente de que a Dama da Lua seguia atrás dela.

A mulher, sentada num trono sólido de madeira, era de uma beleza indescritível. Sua túnica era de uma seda macia e seus longos e finos cabelos pendiam soltos até o chão, como se crescessem por entre os ladrilhos e através deles. A princípio, ela parecia coberta da cabeça aos pés por um finíssimo véu prateado, adornado com numerosas joias brilhantes. No entanto, à medida que se aproximava, Eva pôde ver que as pedras eram, na verdade, pequenas aranhas, ocupadas em tecer o véu. A mulher tinha o semblante calmo e sereno, e seus olhos estavam voltados para baixo, fitando uma tigela de prata em seu colo, cheia com uma água cristalina. Havia uma calma profunda naquela mulher, como se ela própria fosse atemporal. Suas mãos descansavam delicadamente na borda da tigela, e uma pequena gota de sangue brotava de um corte na ponta do seu dedo. Enquanto Eva observava, a gota de sangue caiu na água, que imediatamente ficou vermelha.

– Quem é ela? – Eva perguntou.

– É a Guardiã dos Ritmos – a Dama da Lua respondeu. – Cada gota de sangue marca uma Lua escura e cada lágrima, uma Lua cheia. – Sob os longos cílios, uma lágrima solitária se formou e rolou pela face da mulher.

– Desde quando ela está aqui?

– Desde que a primeira fêmea começou a sangrar. Ela permanece neste lugar contando os ritmos da Lua e medindo os ciclos das mulheres. O tempo das mulheres é diferente do tempo dos homens; os homens seguem o Sol, enquanto nós seguimos o padrão lunar. Das mulheres, vem a primeira medida do tempo.

    A Dama da Lua saiu e, segurando Eva pela mão, guiou-a para fora do recinto, passando por uma porta de carvalho. Fora dali, a floresta era iluminada por uma grande Lua cheia. Ao se virar, Eva percebeu que acabara de sair de uma enorme tenda circular, cujo telhado tinha forma de cone e se erguia em direção ao céu como uma colina. A Dama da Lua, ao fechar a porta, se agachou e colheu uma rosa de um arbusto. Estendeu a rosa para Eva.

    – Um presente da Guardiã dos Ritmos.

    Sob a luz da Lua, a rosa era de um branco imaculado, mas, quando Eva segurou seu caule, o centro da flor se tornou vermelho e a cor se espalhou pelas pétalas até cobri-la por inteiro. Seguindo um certo ritmo, a cor da flor passava de vermelha para branca e de branca para vermelha, as manchas cobrindo as pétalas nas mãos de Eva. A garota olhou para a Dama da Lua no intuito de lhe fazer uma pergunta, mas ao levantar os olhos percebeu que a Lua havia se transformado. Antes cheia, agora ela estava minguante. Observando-a ainda, Eva a viu ficar toda escura e, em seguida, reaparecer como crescente. Com uma velocidade ainda maior, a Lua voltou a passar por cada uma de suas fases. Nas mãos de Eva, a flor mudava de branca para vermelha. Algumas vezes, a flor branca coincidia com a Lua cheia e, outras vezes, era a vermelha. Observando a sequência, Eva notou que o ciclo da flor oscilava entre a Lua cheia e a escura.

    Eva estendeu o dedo para tocar a flor pulsante, mas, no instante em que fez isso, as pétalas se tornaram plumas, com a mesma maciez das pétalas, e se espalharam no ar.

Surpreendida, a garota riu enquanto uma pomba branca voava alto no céu escuro.

– Ao longo de sua vida fértil, seu ritmo a acompanhará. Às vezes em sintonia com o tempo lunar, às vezes mais longo ou mais curto. Você sangrará com a Lua cheia e, talvez, com a Lua escura. Tudo é natural; você é seu próprio ritmo, e é o seu próprio ciclo que você precisa conhecer e aceitar. Todas as mulheres, no decorrer da história, estão unidas e conectadas pelos ritmos da Lua.

Eva voltou a sentir a irmandade com as mulheres pré-históricas e a conexão com a Lua que todas, incluindo ela mesma, traziam em seu próprio corpo.

"Por que precisamos de relógios – ela pensou – se estamos ligadas aos ritmos e aos padrões da Terra e do universo?"

Uma dor no dedo desviou sua atenção. Um espinho do caule que ela segurava espetara seu dedo e uma pequena gota de um sangue vermelho brilhante surgiu. A Dama da Lua pegou a mão da garota e, com cuidado, enxugou o sangue com um lenço branco. Então enrolou o lenço ensanguentado no caule espinhento da rosa. Depois beijou Eva de leve na face e sorriu.

– Você conhecerá outras de minhas irmãs, mas primeiro precisa descansar.

Eva estava prestes a protestar e dizer que não se sentia cansada, quando uma fadiga profunda tomou conta dela. Não conseguia parar de bocejar. Ainda sorrindo, a Dama da Lua conduziu Eva à terra musgosa, aos pés de um enorme carvalho. Enrodilhando-se entre as raízes, a menina se entregou ao cansaço repentino e permitiu que seus olhos se fechassem lentamente, detendo-se apenas por um segundo para contemplar os arbustos espinhentos cujas flores brancas refletiam o luar.

O canto de um pássaro encheu o ar. Eva sentou-se e bocejou, sentindo-se renovada e feliz. Então se encostou contra a base de um cipreste alto, numa colina pedregosa da cor dourada da areia. Ao seu redor, havia uma floresta de pinheiros, bétulas, ciprestes e oliveiras. Ao longe ela podia vislumbrar uma nesga de um mar azul profundo. Uma mão segurou a de Eva com delicadeza, fazendo a garota se colocar de pé e começar uma leve corrida. A mão que a conduzia era a de uma jovem grega, um pouco mais velha que Eva, cujos cabelos anelados estavam presos no alto da cabeça com uma faixa. Sua pele era imaculada e macia, e seus traços bem feitos. Ela vestia uma túnica curta, de material macio, ajustada na altura dos seios por fios dourados entrelaçados. Suas sandálias, de um couro leve, tinham tiras que se entrelaçavam até os joelhos. Na outra mão, a jovem mulher segurava uma pequena tigela de prata e, nos ombros, carregava uma aljava de couro.

 Sentindo-se enfim desperta, Eva ajustou seus passos aos da jovem e sentiu a beleza da liberdade de movimentos. Enquanto corriam à luz do Sol, Eva se deu conta de que não estavam sozinhas. Pelo canto do olho, pôde distinguir a forma de animais, que também corriam: um cão, um veado, uma lebre, uma cabra-selvagem e uma ursa. Repentinamente, uma leoa irrompeu da floresta, os alcançou e correu com eles. Sob a luz inconstante do Sol, o animal de pelo dourado parecia um raio de luz fluida, com olhos ardentes num fogo dourado.

 Eva sentiu que poderia correr para sempre, mas então elas saíram de debaixo das árvores e pararam ao lado de uma colina verdejante, que descia até uma planície sem vegetação. Eva divisou uma pequena baía, visível apenas sob a bruma de calor que refletia a luz brilhante do Sol. Cansada, mas não exausta, sentou-se e estendeu as pernas à sua frente. A jovem mulher uniu-se a ela, e a leoa sentou-se aos seus pés, graciosa.

– Sou Ártemis, a mulher do Arco Brilhante – disse a jovem, jogando a cabeça para trás. – Sou uma das deusas virgens.

Eva notou que ela trazia no pescoço uma pequena escultura de um falo, amarrada a uma tira de couro.

– Muitas coisas foram escritas sobre as deusas virgens, e muitas coisas se esperam da virgindade. – Ela parou e, inclinando-se, tocou o ventre de Eva. – Você é uma virgem no sentido moderno da palavra, e eu sou uma virgem no sentido mais antigo do termo. Sou uma mulher que vive apenas para si mesma; sou independente, autossuficiente e autoconsciente. Celebro a vida por meio das minhas ações. Eu sou completa. Represento o período anterior à liberação do óvulo no ciclo. Não sou fértil e não sou uma doadora de vida; sou só eu mesma e minhas energias são apenas minhas.

Ártemis tocou o falo que trazia no pescoço e deu um sorriso aberto.

– Não sou celibatária; desfruto da sexualidade do meu corpo e sou completa, sem ter necessidade de me casar ou ter filhos.

Elas se levantaram e começaram a caminhar de volta na direção das árvores.

– A cada mês você passará por uma etapa de renascimento. Depois de sangrar, você se tornará como uma virgem outra vez. Na Grécia antiga, havia cerimônias em que as mulheres lavavam os tecidos manchados do próprio sangue, ao fim do período de sangramento, e celebravam seu renascimento como mulheres completas e íntegras. Esse é o momento de organizar os pensamentos, tomar decisões claras e agir de acordo com elas. Você estará confiante, segura de si e consciente do seu corpo e das necessidades dele. Alguns homens se sentem ameaçados por essa fase e veem esses atributos como masculinos, mas eles também pertencem ao feminino, tanto como nutrir e cuidar. Eles são uma dádiva, então faça bom uso deles.

Eva sentiu seu ventre aquecido enquanto Ártemis falava, e o fogo correu por seu corpo, fazendo com que ela quisesse voltar a correr. Mas ela parou.

– O que acontece quando o ciclo termina, quando ficamos mais velhas? – ela perguntou.

– Você se torna como uma virgem de novo. É o momento de a mulher olhar para sua vida, de aceitar seu caminho interior, se ainda não tiver feito isso, e percorrê-lo. Eu não sou a pessoa que lhe ensinará isso, é cedo ainda. Há muitas outras coisas a aprender antes de você chegar a essa fase.

Elas caminharam num silêncio cúmplice por algum tempo, mas, quando Eva se virou para falar com a Deusa, viu-se sozinha. Ela olhou em volta e percebeu que não só a Deusa havia desaparecido, mas também a floresta e a colina. Ela agora estava de pé entre as linhas de um bem cuidado olivedo. As árvores circundavam a borda de um penhasco e Eva podia ver o mar, de um azul-cobalto profundo, que batia contra as rochas brancas. Saindo de entre as árvores, uma mulher caminhava lentamente na direção dela. Eva se perguntou se seria mais uma irmã da Dama da Lua e a observou com cuidado enquanto ela se aproximava.

A mulher era alta e elegante, tinha traços fortes e olhos penetrantes e inteligentes. Seus cabelos negros estavam presos atrás com grampos de ouro. Diferentemente das vestes esvoaçantes de Ártemis, ela usava uma saia feita de camadas de linho branco e um leve tecido dourado, com bordados intrincados e franjas na bainha. Nos ombros, ela vestia uma pele de cabra branca, presa por dois fechos de cabeça de serpente. Na pele havia o bordado de um rosto vermelho-dourado, com serpentes no lugar de cabelos. E toda a pele era circundada com uma franja de serpentes douradas. Em sua mão direita, ela segurava uma longa lança com ponta de bronze, e nos pés calçava sandálias simples de junco.

O sol do meio-dia provocava ondulações de calor na paisagem, e a mulher brilhante convidou Eva para se unir a ela na sombra acolhedora de uma pequena oliveira. Aos pés da árvore, havia um altar simples com uma cadeira de pedra. A mulher se sentou nessa cadeira e indicou à Eva que se sentasse no chão aos pés dela. Por um instante, seu intenso olhar se deteve no de Eva, e então ela falou.

— Sou Atena, a Virgem Eterna, o fogo criador da sabedoria das mulheres.

Atena pegou a mão de Eva.

— Em seu ciclo, as energias criativas não servem apenas para gerar crianças, mas também para dar à luz ideias-filhas. — Ela tocou a parte central da testa de Eva. — Você produz a centelha da vida, carrega-a em seu corpo, nutre-a e permite que ela cresça até levá-la ao mundo lá fora. As crianças entram neste mundo através do útero e as ideias-filhas penetram através do seu corpo, das suas mãos, dos seus pés e da sua voz. — Ela beijou as mãos de Eva como que prestando uma homenagem. — Uma mulher sem filhos não deixa de ser

49

completa ou natural; seus filhos são as ideias que ela carrega com ela, e o nascimento deles é a forma que ela lhes dá no mundo material.

– De onde vêm essas ideias? – Eva perguntou, intrigada.

– A sexualidade desperta as energias que propagam as sementes da inspiração. O ato sexual pode criar filhos, seja na forma física ou na forma de ideias, e pode ser o fogo que guia o artista, o poeta, o músico e o visionário. A arte do sexo é sagrada, ela traz o divino ao mundo.

Eva sentiu calor em seus dedos, que começavam a pulsar com a necessidade de criar.

– Como são essas ideias-filhas? – ela perguntou.

– As ideias-filhas podem assumir qualquer forma. Não importa como você expresse essas ideias ou o que você ou outras pessoas pensem da ideia final. A formação da ideia é o que importa e não a ideia em si. Como acontece com crianças reais, é como se seu coração tomasse forma e a opinião de outras pessoas pode parecer um ataque à sua própria alma. Entretanto, é necessário permitir que os filhos cresçam à sua própria maneira no mundo material. Criar pode ser uma forma de oração ou meditação; é o ato da criação – não a criação em si – que reflete o divino. As mulheres são diferentes dos animais; sua sexualidade não está ligada apenas à geração da prole, e sim à liberação das energias sexuais de seu ciclo menstrual ao longo do mês. Essa é a sabedoria da mulher. Dessa sabedoria vem a capacidade de tornar a vida melhor, de fabricar utensílios, de criar relações e comunidades estruturadas e de expressar a relação entre a humanidade e a natureza.

Atena se inclinou e pegou uma moeda que estava jogada na terra, diante do altar. Ela a estendeu a Eva, que raspou a sujeira para poder olhar suas faces. A moeda era pequena e grossa, de uma prata fosca. Numa das faces, via-se uma coruja estampada e, na outra, o retrato da Deusa ostentando um elmo com rabo de cavalo.

— A moeda simboliza minhas energias e meus poderes — disse Atena.

Eva olhou para a moeda, surpresa.

— Mas eu pensei que o dinheiro fosse uma coisa ruim e a causa de todos os problemas do mundo!

Atena riu.

— Do que você precisa para que uma moeda exista? — ela perguntou. — Você precisa de um artesão, com aptidão, nas mãos e na mente, para criar um objeto de tamanha beleza.

Ela pegou a moeda das mãos de Eva e a levantou.

— A moeda precisa de coisas para se comprar, então as pessoas criam com a sua mente artigos de beleza e utilidades. A moeda precisa ter valor, então as pessoas criam uma estrutura para isso. Com a moeda, há a distribuição e o comércio; onde os bens e as moedas se encontram, o mercado se desenvolve. A partir dos mercados, comunidades crescem e cidades e reinos evoluem de forma estrutural, com leis, educação e cooperação. A moeda é um símbolo da habilidade de organizar a vida, de criar, estruturar e canalizar os instintos e as energias. É um símbolo da civilização. — A moeda brilhou à luz do Sol. — A moeda não é má, assim como as minhas energias não são. Inspiração, mente clara e organização são energias acessíveis a todas as mulheres em seu ciclo menstrual.

A moeda brilhou de novo e, dessa vez, Eva se viu olhando para a antiga cidade de Atenas. Ela observou as ondulações das energias da Deusa nos complexos desenhos pintados numa ânfora por um oleiro, na habilidade de um artesão ao trabalhar um cálice cravejado de pedras preciosas, na sutileza da negociação de um tecelão com um mercador numa esquina, e nos conselhos e julgamentos feitos na sede do governo. Quando Eva olhou para cima, a imagem de Atena ergueu-se no céu, elevando-se sobre a cidade. Em sua mão direita ela tinha uma lança e, na esquerda, um enorme escudo dourado. Um elmo brilhante, também dourado, adornava sua cabeça. À luz do Sol poente, a pele de Atena tornou-se luminosa e radiante. A seus pés, uma pequena oliveira de um verde-escuro crescia da pedra branca e árida sobre a qual ela estava. A Deusa dirigiu o olhar a Eva, que permaneceu arrebatada diante daqueles olhos de coruja. Inclinando-se para trás, Atena enrijeceu seus poderosos braços e atirou a lança com uma força tremenda. Um cometa de fogo flamejante passou como um raio pelo céu, na direção de Eva.

A garota sentiu a luz crepitante envolvê-la e viu imagens rodopiarem no ar à sua volta. Na luz, ela observou as primeiras comunidades emergirem do pó, germinarem e prosperarem, e o universo ser refletido em suas primeiras formas artísticas. A luz piscou e ela viu a estrutura de uma sociedade, as tramas e urdiduras das leis, os ensinamentos, os julgamentos e as artes. A cidade pulsava com o fogo, viva com a energia da Deusa. Eva sentiu a presença daquela energia branca e pura emergir da escuridão dentro dela. Confiante, deixou de lado a dúvida e o medo e se abriu por completo ao poder. Por um momento, sentiu-se suspensa no tempo e, então, o mundo voltou numa avalanche de detalhes nítidos e cores brilhantes. Cada forma, textura, som ou contorno enviava ondas de ideias, conexões e padrões, que invadiam sua mente num turbilhão até saírem de seus lábios, precipitando-se em poesia e revelações. Tão rápido quanto começou, o jorro cessou e, com o fogo apagado, Eva caiu sem forças no chão, cansada mas em paz, diante da lança tremulante cravada na terra diante dela.

Após alguns minutos de descanso, Eva se levantou devagar. No entanto, antes que pudesse alcançar a lança à sua frente, sentiu um braço poderoso agarrando-a junto com a arma de Atena e lançando-a na traseira de uma biga de vime que seguia a toda velocidade. Cabelos brilhantes e ruivos até a cintura esvoaçavam nas costas da condutora, enquanto ela atiçava dois cavalos para que corressem ainda mais rápido. Temerosa, mas em deleite absoluto, Eva arquejou diante da habilidade e da força daquela mulher, que se erguia alta e orgulhosa, equilibrando-se com facilidade apesar das guinadas da biga. Ela vestia uma túnica de muitas cores e um lindo fecho segurava sobre os ombros um manto que se agitava com o movimento do carro. Ao redor do pescoço, tinha um grosso torque de fios de ouro torcidos, que brilhavam à luz do Sol. Sua pele era bronzeada e seus olhos cintilaram como fogo. As mãos, que seguravam as rédeas com a força apropriada, eram rudes e manchadas pela exposição ao tempo. Debaixo dos cascos dos cavalos, a paisagem passava num lampejo; num minuto corriam por planícies terrosas e, no minuto seguinte, por uma verdejante floresta de carvalhos. O vento açoitava os cabelos de Eva e forçava o ar a sair pela sua garganta, num grito de júbilo. Ela se sentia mais forte do que nunca, sua mente estava lúcida e atenta, e a força que corria através dela a fazia se sentir capaz de atingir qualquer coisa. Ela era livre, independente, uma leoa com força para lutar e proteger.

Quando Eva sentia-se prestes a explodir de exultação, a mulher desacelerou o ritmo dos cavalos e eles passaram a trotar em meio às sombras da floresta. Uma sensação de calma fresca e verdejante as circundava, mas o entusiasmo ainda corria no sangue de Eva. Rindo, a mulher a fez descer da biga até a relva.

– Meu nome é Boadiceia. Eu sou a Rainha dos icenos – disse com voz profunda e poderosa. – Eu luto para proteger e servir, nunca para destruir. Sou a verdadeira Vitória, o árbitro da paz. Eu me comprometi com os demais e com as causas e mantenho esse compromisso.

A Rainha desceu da biga e seguiu na direção dos cavalos. Ao verificar seus arreios, ela disse:

– Nos tempos dos celtas, a mulher era respeitada. Ela tinha terras e poder por direito próprio e ela era respeitada pela sua opinião e pelos atributos que oferecia à comunidade. Eram as mulheres que instigavam seus guerreiros à ação, mas também eram elas que arbitravam pela paz. Eram a força por trás da tribo e de seus homens.

Ela acariciou o pescoço dos cavalos com afeto.

– Você está experimentando a força da feminilidade, o dinamismo radiante das fases luminosas, porém mais tarde experimentará a perda dessa energia, que será transformada em escuridão. Não olhe para trás, ansiando pela luz, ou você perderá as dádivas da escuridão. Olhe dentro da escuridão, aceite seus poderes e veja a luz despertar dentro dela.

A Rainha se virou e saltou para dentro da biga com a graça de um cervo. Levantou os braços em despedida e, tocando o dorso dos cavalos com as rédeas, ordenou que avançassem.

A biga partiu veloz pela floresta, como um raio da luz do Sol, até se tornar um ponto de luz ao longe. Eva, acenando freneticamente, viu a pequena silhueta da Rainha acenar de volta para ela, até desaparecer carregando a luz do dia consigo. A garota foi deixada com os braços no ar e um grito nos lábios.

Enquanto abaixava os braços, uma leve tristeza esgueirou-se pela sua mente; ela havia gostado de Boadiceia.

Mais uma vez, Eva se viu na floresta iluminada pelo luar e, de pé a seu lado, em silêncio, estava a Dama da Lua. Elas caminharam juntas pela floresta, em silêncio, até que a energia da cavalgada com a Rainha se transformasse num sentimento de calma e harmonia dentro de Eva.

A Dama da Lua a conduziu a uma clareira, no centro da qual uma linda árvore de tronco rosa prateado se elevava. O tronco era dividido em dois ramos principais, com generosos cachos de frutos vermelhos. A Lua cheia parecia sustentada pelos ramos mais altos, e sua luz refletia-se no poço de água azul escura que circundava a pequena ilha na qual a árvore crescia, suas raízes retorcidas dependuradas do solo na direção das águas do poço.

— Esta é a sua Árvore do Útero — a Dama da Lua disse, tocando o ventre de Eva, logo abaixo do umbigo. Em resposta ao toque, Eva sentiu um calor crescente vindo do útero em seu corpo. Diante delas, a Árvore do Útero respondeu, brilhando de energia.

— O poço é a sua mente subconsciente e as raízes da Árvore do Útero mergulham em suas profundezas. Sua mente e seu útero estão conectados; o que acontece em um se reflete no outro, e vice-versa.

Eva, sentindo-se em paz e em harmonia com a árvore, foi atraída em sua direção. Ela caminhou até o limite da água e olhou os galhos, desejando tocá-los. As folhas da árvore, que atravessavam o poço, farfalharam e sussurraram seu nome.

— Eva, Eva! — elas cantaram. — Pegue um fruto da sua árvore.

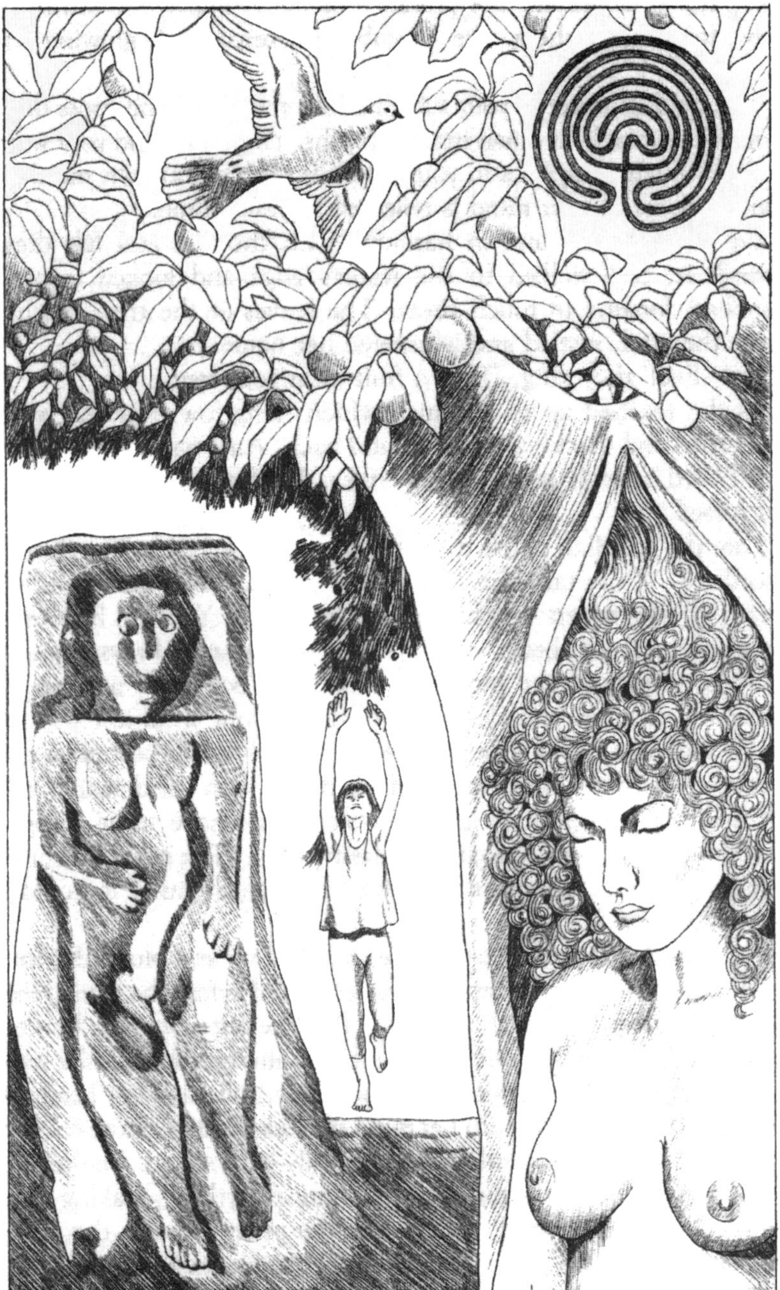

Quando a garota se levantava para tocar um galho que pendia baixo sobre a água, ela arquejou e puxou rápido a mão para trás. Entre as folhas e os frutos, havia uma pequena serpente verde-dourada enroscada, que levantou sua cabeça triangular e sibilou.

— Eu sou a Guardiã da Árvore. — Seus pequenos olhos brilharam como diamantes à luz da Lua. — Ao colher este fruto, você se tornará mulher e herdará todos os poderes que a feminilidade traz. Você sangrará com a Lua e se tornará cíclica, nunca constante, sempre mudando de acordo com as fases lunares. Dentro do seu corpo, os poderes de criação e destruição serão despertados e, na sua intuição, você guardará o conhecimento dos mistérios interiores. Sua vida se tornará um caminho entre dois mundos, o interior e o exterior, com as demandas que cada um deles lhe trará. Todas as dádivas da feminilidade precisam ser aceitas e apreciadas, caso contrário a dádiva poderá destruir você. — A serpente se desenrolou. — Essa não é uma dádiva fácil de aceitar; seria muito mais fácil continuar a ser criança.

Eva parou e, com um impulso, levantou-se e colheu um fruto. Assim que a garota fez isso, a serpente a mordeu e, antes que Eva pudesse reagir, a serpente foi para a parte de baixo de seu corpo e entrou em seu ventre. Eva sentiu um calor entre as pernas e de repente um arco-íris de energias vibrantes jorrou como água de sua vagina. Ele jorrava de seu corpo e tocava sua cabeça, sua garganta, suas mãos e seus pés. Em sua mente, ela ouviu uma única nota ressoar dos pés à cabeça e sentiu todo o corpo naquele som. Sentiu a energia que se expandia para além dela, tocando cada coisa, tornando-a una com a criação. Quando voltou a se equilibrar, ela tornou-se o eixo entre a energia e o mundo a seu redor.

Ergueu os braços e gritou, em deleite absoluto, e liberou a energia para o mundo, enviando-a para cima, e ela espiralou em forma de som. Com imensa calma, Eva sentiu a energia adormecida dentro dela e percebeu sua capacidade de despertá-la outra vez, de acordo com sua própria vontade. Ao olhar para seu interior, viu dentro de si a serpente, enrolada em seu baixo-ventre.

Ela se virou a fim de deixar a árvore e encontrou a Dama da Lua de pé a seu lado.

– Você aceitou os poderes da feminilidade. À medida que se tornar mais experiente em relação ao seu ciclo, você precisará encontrar a melhor forma de usar essas energias em sua vida. Mas você não está sozinha nessa busca; dentro de você estão aquelas que a guiarão e apoiarão ao longo de sua vida menstrual. Nesta noite, minhas irmãs e eu lhe mostraremos muitas coisas mais, que a ajudarão a usar sua dádiva. Toque sua árvore mais uma vez.

Eva se virou para a árvore e tocou um ramo com cuidado. Como se aquele toque tivesse destrancado uma porta, o tronco se partiu ao meio e se abriu, revelando suas entranhas carmesim. Lá dentro havia uma mulher nua, com os olhos fechados e o cabelo ruivo cacheado, formando capilares no tronco. Eva sentiu a árvore se mover dentro dela, para se fundir com seu próprio útero. Em sua mente, sentiu as raízes da árvore ligando-a a seu útero e sentiu a Lua pairar em sua mente e nos ramos de seu útero. O fruto em sua mão desapareceu de forma gradual, deixando-a sozinha na clareira escura.

Um lampejo de luz atingiu os olhos de Eva e, parada diante dessa luz, a garota notou uma grande lebre branca. O brilho de seu pelo iluminou a clareira com um fulgor prateado suave. Olhos negros cheios de estrelas e conhecimento se fixaram em Eva, que notou que a lebre tinha um pequeno colar com uma pedra vermelha no pescoço. Com a luz que irradiava do seu pelo, ela viu que a clareira não estava mais vazia, e sim repleta de animais de todos os tipos, que a observavam em silêncio. A garota ficou sem fôlego diante de tanta beleza e tanto poder, cada animal irradiava graça e inteligência, e todos estavam banhados por aquela luz branca suave. Olhos negros e amigáveis cintilavam em sua direção e, sem medo, Eva sentiu-se atraída por eles, como se os conhecesse há muito tempo. Entre os animais, viu um grande e poderoso búfalo, um cavalo de pelo crespo e espesso, um brilhante unicórnio prateado, uma pomba branca, uma pequena serpente verde e uma linda borboleta. Muitos dos animais pareciam usar algum tipo de joia ou carregar um presente ou artefato. Eva sabia que, se falasse, eles lhe responderiam. A lebre pulou e se sentou sem medo entre duas leoas. Havia um sentimento de amor e compreensão que conectava todos esses animais à lebre, e o mesmo sentimento atraía Eva a também fazer parte dessa rede.

– Estes são os Animais Lunares – a lebre disse com uma voz suave e argêntea como seu pelo. – Eles carregam os mistérios da Lua e trazem mensagens de seu mundo interior. Vivem em seus sonhos e nos reinos das fadas, onde animais falantes a conduzem a maravilhas mágicas e a fontes de antiga sabedoria.

Uma coruja branca alçou voo e pousou perto de Eva numa lufada de ar. Ela se virou para a garota com aqueles olhos que guardavam a sabedoria do tempo.

– Eles a guiarão e aconselharão, pois guardam o conhecimento instintivo do seu ciclo. Trazem a graça e a harmonia de quem vive em sintonia com sua verdadeira natureza. Um

Animal Lunar pode anunciar em seus sonhos sua ovulação ou seu sangramento ou provocar sonhos cujas imagens podem guiá-la ao seu ciclo e ajudá-la a manter uma ligação consciente com seu próprio ritmo. Lembre-se desses sonhos e traga-os à sua vida durante a vigília. Esta noite, em especial, lembre-se dos seus sonhos, pois o animal de um sonho que você teve no primeiro sangramento pode ter uma relação especial com você por toda sua vida.

A lebre parecia sorrir enquanto falava. O animal se virou e, com passos largos e lentos, aproximou-se de Eva, carregando com cuidado algo na boca. Então deixou o presente cair aos pés da menina e sentou-se sobre as patas traseiras. Encantada, Eva viu um pequeno ovo branco embrulhado com uma fita vermelha brilhante. Ao tomá-lo em suas mãos, sentiu um amor imenso dentro de si, que a fez querer cuidar de todos à sua volta. Um suspiro percorreu os animais que a rodeavam.

– Este é seu primeiro óvulo – a lebre disse. – Seu momento de ovulação. As forças e energias que você sentiu como donzela amadureceram até chegar às de mãe. Não desperdice essas energias. No passado, as mulheres eram conhecidas por serem fortes e dinâmicas e por terem força para cuidar e nutrir. Na ovulação, as energias são diferentes; elas se aprofundam até uma expressão que vai além de você mesma. Você se torna consciente das camadas mais profundas dentro de si e da capacidade de amar e cuidar sem interesse próprio. Nesse período, seu desejo criativo reflete o mundo ao seu redor.

Eva sentiu a calma de um banho purificador e sentiu a Lua cheia iluminando sua mente e seu útero, além do céu noturno. Sentiu-se em harmonia com a Lua e com tudo ao seu redor e uma força que lhe permitia doar aos outros,

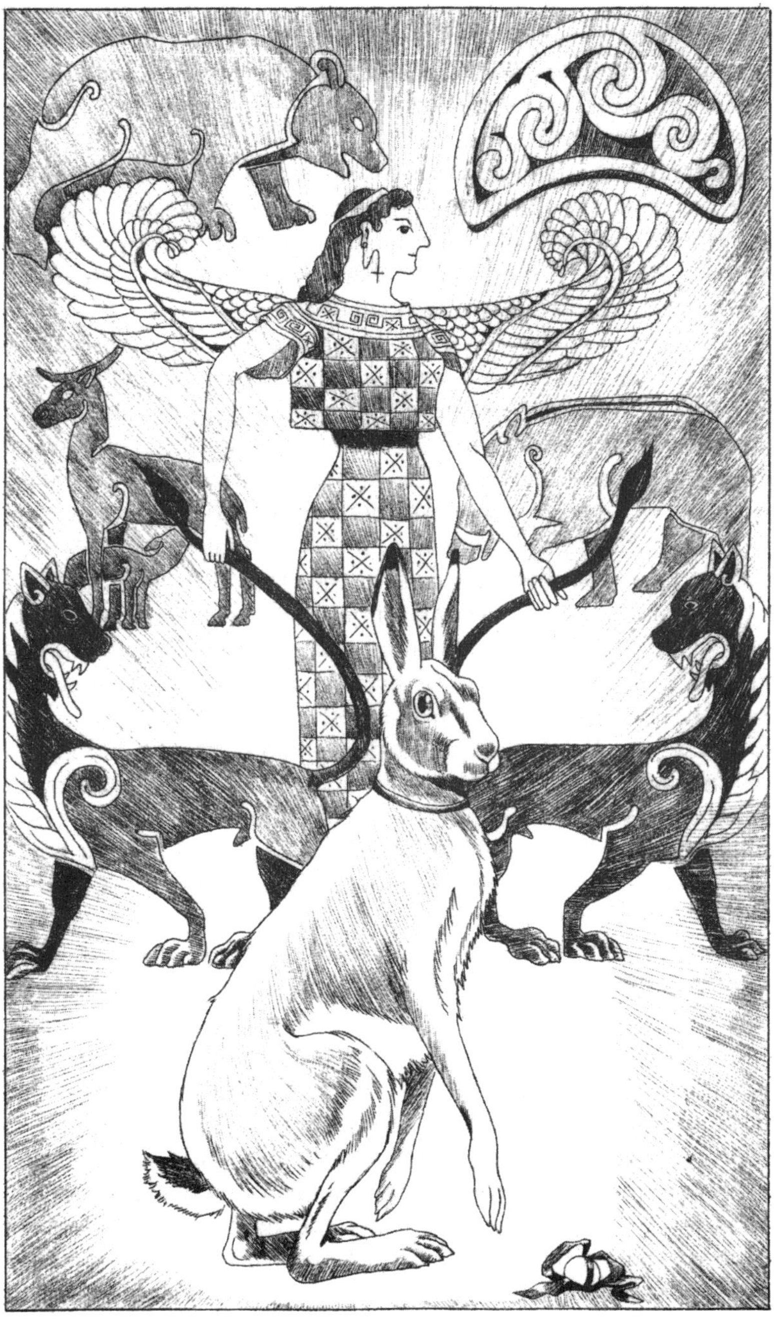

sabendo ser capaz de nutri-los e apoiá-los. Parecia que a plena expressão de sua alma brilhava através do seu coração, dos seus olhos e das suas mãos.

– Nesse período de luz, talvez você sonhe com ovos ou Animais Lunares. Lembre-se desses sonhos e reconheça-os como um anúncio de sua ovulação.

A lebre se virou e seguiu saltitando, depois parou e convidou Eva a segui-la. Após breve hesitação, a garota acompanhou a lebre e os Animais Lunares desapareceram de sua vista, enquanto a escuridão voltava a tomar conta da clareira.

A lebre conduziu Eva pela floresta até um prado banhado pela luz do Sol.

Ao seu redor pairava o perfume de flores do campo, e tudo era vibrante e pleno de energia vital. À medida que Eva caminhava, com a relva à altura dos joelhos, notou que as flores estavam cercadas de abelhas e outros insetos. Grandes margaridas giravam suas faces na direção do Sol e papoulas salpicavam o prado de um vermelho brilhante. Ela parou de caminhar e respirou o elixir da vida ao seu redor, desejando permanecer ali e desfrutar aquela beleza.

Impaciente, a lebre pediu para que Eva continuasse a caminhar na direção de uma colina coberta de relva, no centro do prado. Na base da colina, uma fileira de degraus de pedras brancas conduzia para dentro da terra. A lebre parou, descansando suas patas dianteiras no degrau mais alto. Por alguma razão, Eva sentiu certo incômodo, porém, mesmo um pouco nervosa, começou a descer a escada.

Ao final de treze degraus, ela encontrou um arco entalhado, iluminado por uma única tocha presa por um gancho. Do arco pendiam lindas cortinas verdes, bordadas com desenhos de todos os tipos de animais, pássaros e plantas. No ápice do arco de pedra, entre esculturas que repetiam os desenhos das cortinas, havia uma cavidade em forma de cálice. Com cuidado, Eva afastou as cortinas e entrou num cômodo escuro, de teto abobadado. O espaço era circular e ali havia um tapete que cobria o chão de pedra desde o ponto em que Eva estava até uma plataforma do outro lado. No centro da plataforma, havia um trono de pedra, adornado com uma almofada de um vermelho profundo. Dos dois lados, havia dois outros arcos com cortinas negras e vermelhas. Enquanto Eva observava tudo, uma dessas cortinas foi afastada e uma mulher entrou no cômodo.

Ela era alta e tinha cabelos e olhos negros. Embora suas feições fossem bem angulares, seus lábios eram grossos e sensuais. Ela usava um vestido escarlate brilhante, decotado e justo nos seios e nos quadris, e que caía em grandes pregas pelo chão. Ao redor da cintura, pendia uma guirlanda adornada de ouro e, enquanto ela andava, seu quadril balançava de forma rítmica de um lado para o outro. A mulher tinha uma aura de poder, sexualidade, anseio e escuridão. Seus olhos brilharam como uma promessa. Eva sentiu-se desconfortável e, ao mesmo tempo, assustada e fascinada pela mulher.

– Venha! – disse a Dama Vermelha com voz aguda e imperativa. Ela foi até o arco pelo qual havia entrado, segurou a cortina e solicitou com um gesto que Eva a seguisse. Lá dentro só havia escuridão. Ao entrar e olhar rapidamente ao redor, Eva não viu nenhum traço de luz por trás das cortinas. Seu medo inicial foi logo substituído por cansaço e letargia; a escuridão era quente e reconfortante, e Eva não teve vontade nenhuma de se mover ou de fazer qualquer coisa. Ela começou a ficar irritada por ter sido deixada sozinha no escuro, e essa irritação inicial cresceu e se transformou em

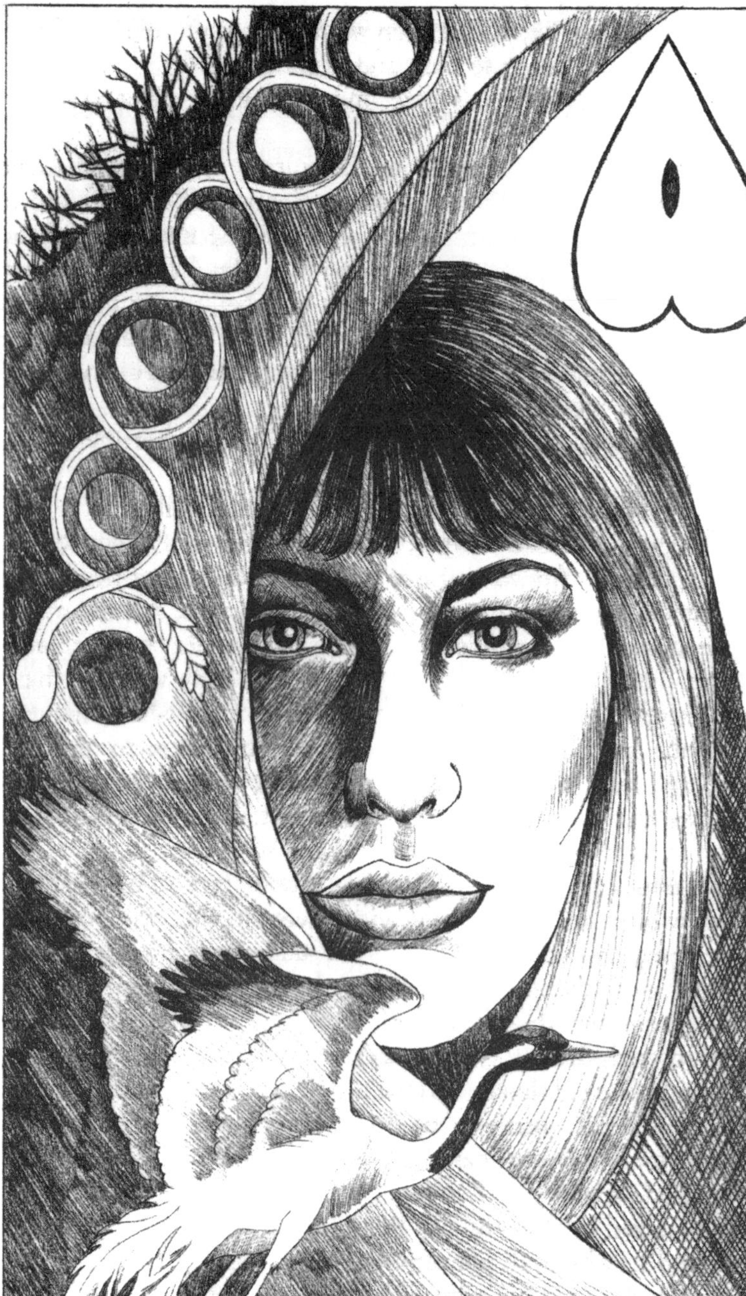

aborrecimento e frustração. A garota sentiu suas faces enrubescendo e os músculos ficando tensos.

Pouco a pouco, o ambiente começou a se iluminar, até estar banhado numa luz brilhante e incômoda. A Dama Vermelha parou diante de Eva segurando um espelho grande o bastante para refletir seu corpo todo.

– Onde você estava? Fiquei esperando você! – Eva explodiu, arrependendo-se de imediato por ter sido tão rude e agressiva.

O olhar da Dama Vermelha encontrou o de Eva num instante que pareceu uma eternidade.

– Olhe – disse a Dama, apontando para o espelho. Eva se aproximou e viu o reflexo do seu corpo nu no espelho. Intrigada, observou a imagem com cuidado. Ainda que no espelho fosse, sem dúvida, ela mesma, havia algo errado. Seu cabelo estava comprido e oleoso, o rosto cheio de espinhas e os seios e a barriga, inchados e doloridos. Eva começou a sentir uma vertigem, sua cabeça latejava e ela se sentiu tão feia que lágrimas escorreram pelas suas bochechas. Ela escondeu o rosto nas mãos.

– O que aconteceu comigo? – perguntou, chorando. – Estou horrível! Eu me odeio!

A voz da Dama Vermelha interrompeu sua autocomiseração.

– Olhe de novo – ela respondeu com rispidez –, desta vez com seu eu interior! – A luz suavizou-se e Eva, hesitante, levantou a cabeça. Na penumbra, ela viu seus seios brilhantes e redondos como Luas cheias. Sua barriga estava arredondada como as colinas da Terra, deixando seu corpo sensual com as curvas femininas. Ela sentiu o próprio corpo com as mãos, sem rejeitá-lo, despertando para sua transformação.

Lembrou-se de imagens das antigas deusas, com os seios cheios e a barriga arredondada e sentiu uma aceitação por essa forma que agora se manifestava nela. No espelho, seu cabelo pareceu sedoso e saudável, e a pele tornou-se luminosa. – Olhe para o seu útero – a Dama Vermelha falou suavemente.

Eva pôde ver a própria Árvore do Útero em seu ventre. A árvore estava intumescida e vermelha, e pulsava com energia num globo de água. A garota sentiu a energia puxando-a para dentro até que, de repente, ela caiu.

Ao seu redor, a escuridão fluía como água, como se ela tivesse deslizado até as profundezas musgosas de um lago. Sobre ela, uma luz verde se espalhava pela escuridão e, mais abaixo, havia o negro avermelhado da lama primordial. Eva mergulhou lentamente na lama até que a escuridão vermelha cobrisse sua cabeça. Bastou respirar na escuridão para que um poder surgisse em seu corpo, forçando-a a dançar e, enquanto se movia, redemoinhos de vermelho e negro agitavam-se à sua volta. Eva sentiu a escuridão interior como se estivesse mergulhada no caos e na matéria primordial da qual toda a vida nasce e para a qual retorna.

Na escuridão, viu uma centelha de luz e uma Lua crescente perfurar as trevas. Ao estender a mão para alcançá-la, Eva descobriu que o que ela pensara ser a Lua era na verdade os chifres de um crânio de búfalo.

Segurando os chifres como uma adaga, Eva rodopiou na escuridão, movendo-se em seu próprio ritmo e cada vez mais rápido. A energia manifestou-se a seu redor e, em total exuberância, ela pôde ver fachos de energia espiralarem de seu útero, retorcendo-se na escuridão como serpentes vermelhas. Inclinando a cabeça para trás, fazendo voar os cabelos, ela gritou deliciada. O poder era puro e selvagem, ela era a Destruidora, a Devoradora. Um colar de crânios pendia dos seus ombros e um cinturão de braços decepados, do seu quadril. Em sua dança, ela afastava o velho, de modo implacável, forçando a mudança e a continuidade do tempo.

De repente, uma única palavra de comando ressoou como a batida de um tambor:

— Levante-se!

Com uma graça inesperada e inabitual, Eva impulsionou o corpo pela escuridão até chegar às sombras esverdeadas logo acima. Ao romper a superfície da água, emergiu numa imensa caverna trevosa. No centro, elevando-se sobre ela, havia a enorme estátua de uma Deusa, entalhada em granito negro, que brilhava de tão polido. A Deusa estava enterrada até os quadris no chão da caverna, e os braços estavam estendidos, um para baixo, na direção de Eva, e o outro para o alto, na direção da escuridão. Eva saiu do pequeno lago e deu alguns passos na direção da imagem. De onde estava, mais abaixo, percebeu que os olhos da estátua estavam fechados e que uma pedra negra adornava sua testa.

— Teça! — A palavra ecoou pelas pedras e pelo corpo de Eva. De repente, a pedra na testa da Deusa acendeu-se e fios de estrelas jorraram dos dedos da estátua. Todas as coisas eram tocadas por esses fios, que conectavam e reconectavam tudo ao redor da garota e através dela, unindo-a à trama. Sob seus pés, uma poderosa vibração de poder pulsava, vinda do poço. Entre esses dois fluxos de energia, Eva levantou os braços e deixou que o fogo escorresse de seus dedos. Sem mais nenhuma restrição, a energia correu livremente, encontrando forma numa teia de estrelas que Eva tecia sobre si mesma. Em unidade com a Deusa, ela direcionou essa energia para a criação, sua mente consciente guiando o fluxo, mas sem controlar a forma. A menina percebeu que o poder de destruir e o poder de criar são a mesma força e soube que tinha a capacidade para ambos dentro dela. Com essa nova clareza de visão, pôde ver que tudo no universo está conectado e soube que, ao direcionar seu poder para o mundo material, poderia tecer seus fios para a magia, a profecia, a arte e o amor. Com suas energias em equilíbrio, Eva ficou ali maravilhada, contemplando as galáxias e as estrelas que brilhavam no teto da caverna.

Uma entrada se abriu na parede da caverna e a silhueta de uma figura contra a luz chamou a atenção dela. Eva atravessou a caverna caminhando com o porte e a graça de alguém que conhece e aceita a si mesma e que é capaz de assumir a responsabilidade por seu poder. Ela avançou confiante, consciente da face oculta da vida no mundo ao seu redor.

Ao atravessar a passagem acortinada, Eva descobriu um longo salão com piso de madeira, cujo centro era iluminado pelo fogo. Atrás dele, sentada num trono de madeira, havia uma mulher coberta da cabeça aos pés com um véu vermelho translúcido. Por trás do tecido, Eva podia adivinhar os seus traços. Ela tinha longos cabelos negros, divididos em tranças grossas, e de cada qual pendia uma maçãzinha dourada. Sua pele era como branca porcelana e seus lábios tinham um tom vermelho profundo. O contorno das suas mãos, unidas sobre o colo, mostrava que elas eram longas e delicadas.

– Bem-vinda, Andarilha entre os Mundos – cumprimentou-a a Dama.

Eva teve a sensação de ouvir o rufar das folhas de outono em sua voz.

— Sou a Soberania. — A Dama ergueu os braços por baixo do véu num gesto de boas-vindas. — Vejo que você carrega o brilho do véu vermelho. Bem-vinda, filha sacerdotisa.

Eva sentiu que havia algo de mágico naquela mulher e pensou que ela deveria estar num castelo de torres brilhantes, não num salão de madeira vazio.

— Veja meu reino à sua volta.

Eva observou e percebeu que o reino estava ali mesmo, dentro do salão. Fachos de luz partiam de cada canto e se entrecruzavam na paisagem. Ela deu um passo adiante e suas pernas roçaram no tecido da túnica branca que ela agora vestia. Quando andou na direção do fogo, cada gingado dos seus quadris alterava o padrão dos fachos de luz à sua volta. A estação na paisagem se alterou e ela pôde sentir os aromas do inverno. Da escuridão do inverno, viu a luz da primavera emergir e sentiu as estações fluírem de modo ritmado pelo seu corpo.

Eva mergulhou em si mesma, até o âmago das suas energias criativas, e desejou que elas se espalhassem pelo seu corpo. Quando a energia alcançou seus dedos, ela a deteve ali, sob controle, consciente dos ciclos intrínsecos ao seu corpo e à Terra, pronta para tecer padrões em ambos os mundos.

A Dama levantou-se e caminhou na direção de Eva. Os fachos de luz da paisagem emanavam do seu corpo e espiralavam de volta até ela. Todas as outras mulheres e deusas que Eva encontrara eram mais altas do que aquela, mas então Eva se deu conta de que a Dama era da sua altura. Mas, mesmo pequena, exibia tamanha majestade que Eva chegou a pensar que talvez ela fosse a Rainha das Fadas. Nas mãos dela havia um cinto do mais refinado tecido, em tom de verde, bordado com desenhos de romãs prateadas e milhos dourados. A Dama cingiu os quadris de Eva com o cinto.

— Você agora é minha representante – disse. – Você tem o poder de enxergar ambos os mundos, o interior e o exterior. Tem a magia de criar padrões e ondulações no tecido de ambos os mundos. Pode tocar a teia da profecia, da iniciação e da própria vida. Essa é a dádiva do sangramento lunar. Você conhece os dois mundos por instinto e, nos momentos de escuridão, pode caminhar entre eles e mediar suas energias.

— A mulher moderna caminha no mundo da ciência e da tecnologia e também no mundo da natureza e da intuição. Esses mundos não são absolutos em si mesmos, eles se fundem um no outro. Ambos são igualmente reais para a mulher, e ela tem a capacidade de equilibrá-los num fluxo de consciência, de um para o outro. É devido a esse dom que todas as mulheres são sábias e todas as mulheres são sacerdotisas.

— Uma mulher consciente do seu ciclo precisa ser verdadeira com ele, mas ela também é responsável pelo uso de suas energias e suas expressões e pelos efeitos que exercem sobre as outras pessoas. Responsabilidade não significa que ela não deva usar suas capacidades, mas que não deve se esconder atrás do seu ciclo menstrual, usando-o como desculpa. A responsabilidade que vem com esse dom é enorme; é a responsabilidade para consigo mesma e para com as outras mulheres, a comunidade, a Terra e as futuras gerações.

Soberania ergueu as mãos para abençoá-la.

— Dance seus ritmos, teça seus feitiços, escreva seus poemas, cante suas histórias, pinte sua beleza, dê à luz seus filhos.

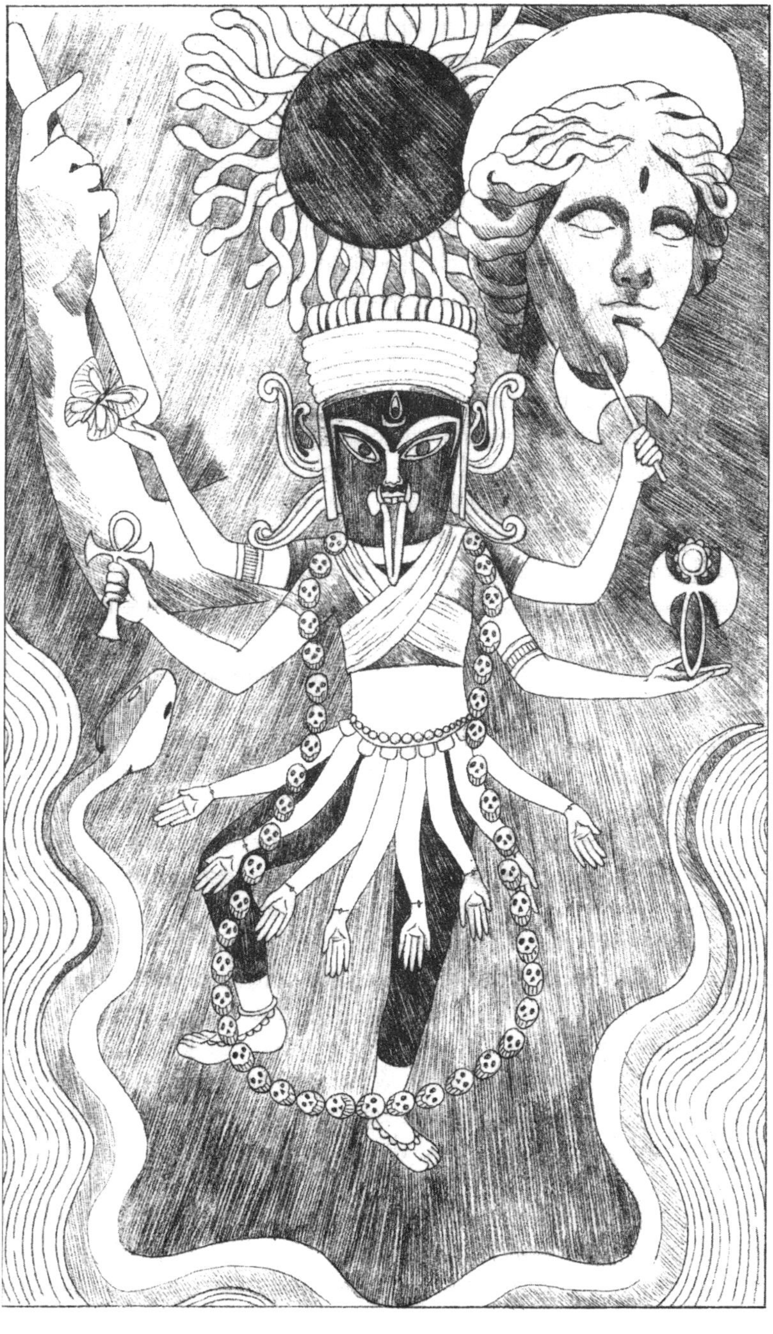

Eva sentiu-se transbordar de amor pela Dama e pela Terra, e lágrimas brotaram em seus olhos. No lugar em que cada gota brilhante caía no chão, uma flor branca e única se formava.

A cena da paisagem e do salão desapareceu gradualmente, deixando Eva mais uma vez na escuridão. De repente, a cortina foi de novo afastada e a garota viu a Dama Vermelha de pé na entrada da câmara abobadada. Ao passar pela entrada, Eva se viu diante da mesma plataforma, porém no lado oposto do qual havia entrado. Olhando para a Dama Vermelha, a menina não se sentiu mais ameaçada por sua sensualidade ou pela escuridão oculta em seus olhos. A Dama sorriu ao reconhecê-la.

— Você aceitou quem você é, mas precisa ser fiel à sua natureza, e isso nem sempre é fácil. A Lua minguante é um momento de preservar suas energias físicas, mas também um momento de fantásticas energias sexuais e criativas. Você pode se surpreender dizendo o que pensa ou sendo incapaz de aceitar o mundano ou a rotina com a mesma tolerância que teria no restante do mês. Essa é a dádiva da verdade, mas ela também pode nascer da raiva e da frustração, que surgem quando a chance de ser verdadeira com a sua natureza é negada durante esse período. Com essa raiva, as energias podem se tornar destrutivas; podem causar dor em si mesma e nos outros, em vez de serem canalizadas e usadas em algo construtivo e criativo.

— A natureza destrutiva da mulher foi reconhecida em tempos passados, mas era aceita como parte da sua natureza criativa. A mulher dá, mas ela também leva. Ela é a linha de continuidade, mas também é interrompida em ciclos. Ela cria o novo, mas destrói o velho. Use suas energias destrutivas com sabedoria e jamais se esqueça de que destruição e criação nunca estão separadas. Consciente de seu ciclo e da natureza de suas energias, você carrega a responsabilidade por suas ações. É mais fácil culpar o corpo e separá-lo da mente que trabalhar dentro de seu próprio ritmo e mudar sua vida de acordo com ele.

A Dama Vermelha subiu três degraus até o topo da plataforma.

– Você é uma mulher. É forte por não ser constante, pois o ritmo da mudança é o ritmo do universo.

Enquanto a Dama Vermelha acomodava-se em seu assento de pedra, sua imagem se transformou: a pele ficou pálida, o cabelo mais fino, os traços suavizaram-se e a cor do vestido mudou de vermelho para um azul banhado pela luz lunar. Um pouco surpresa, Eva reconheceu a familiar figura da Dama da Lua.

– Sim – disse a Dama da Lua em resposta à pergunta silenciosa de Eva. – Nós somos a mesma deusa, mas em momentos diferentes. Ao longo do mês, sou em parte a Dama da Lua e em parte a Dama Vermelha, mas somente durante a menstruação e a ovulação sou completamente uma ou outra.

Ela se levantou, desceu os degraus e fez um gesto para que Eva se sentasse no trono.

– Não tenha medo – tranquilizou-a.

Hesitante, Eva subiu os degraus e sentou-se na almofada vermelha. Ainda tensa, apesar de sua crescente consciência e compreensão, manteve-se firme e ereta, os olhos buscando os da Dama da Lua. Aos poucos, começou a se dar conta da mudança na sua alvíssima túnica. Observou a barra adquirir um tom rosa delicado, que se transformou num vermelho vivo até a nuance carmesim se espalhar e cobrir toda a vestimenta. Em segundos, Eva estava vestida de vermelho-sangue. Com um sentimento repentino de alheamento, parou de prestar atenção no ambiente e em seus arredores. Deixando-se envolver pela escuridão acolhedora, tomou consciência da teia de aranha tecida com fios que a conectavam à grande deusa negra. No fundo do seu ser, Eva pensou ter ouvido sua voz:

— Sou o invisível em todas as coisas. Sou o potencial, a escuridão do útero antes do renascimento.

Quando recuperou a consciência do mundo à sua volta, a Dama da Lua estava de pé ao seu lado. A necessidade de permanecer ali sem se mexer era forte. A Dama da Lua ajudou-a a se levantar, mas foi a Dama Vermelha quem a acompanhou escada abaixo, na direção de uma pequena alcova na parede. A garota subiu até um pequeno estrado coberto de peles espessas e macias e deitou-se quieta em meio à luz evanescente, sentindo que a capacidade de falar ou mesmo de pensar lhe escapava. A Dama Vermelha a cobriu com uma pele.

— Durma o restante da noite aqui, na proteção do ventre da Terra. Lembre-se de seus sonhos e não se esqueça de quem você conheceu.

A Dama se inclinou, deu-lhe um beijo e continuou observando-a, enquanto os olhos de Eva se fechavam e a cena se dissolvia na escuridão. No calor de seu sono, a garota sorriu, enquanto ouvia uma voz cada vez mais distante lhe dizer:

— Lembre-se, lembre-se.

A luz do Sol entrando pela janela do seu quarto pousou sobre o rosto de Eva e beijou-a, despertando-a com gentileza. Sentindo-se relaxada e em paz, permaneceu deitada sob as cobertas, desejando que pudesse ficar ali o dia inteiro. De algum lugar dentro dela, os sonhos da noite desabrocharam em sua mente desperta. À luz do dia, as pessoas e os lugares que ela visitara, que pareciam tão intensos e reais, tornaram-se indistintos e distantes. Ainda assim, deixaram em Eva um sentimento de paz e compreensão e a ideia de uma promessa prestes a ser cumprida.

Os ruídos conhecidos do restante da família acordando a estimularam a se levantar e, bocejando e alongando-se, Eva sentou-se na cama. Quando moveu o corpo, ela sentiu uma umidade quente entre as pernas. Pegou logo um punhado de lenços de papel da caixa sobre a mesa de cabeceira, tocou o local umedecido e, ao erguer os lenços, descobriu-os tingidos do vermelho brilhante de sangue fresco. Naquele exato momento, sua mãe entrou no quarto e viu os lenços sujos de sangue nas mãos da garota, que se apressou a explicar à mãe ansiosa de onde o sangue vinha. Com um brilho de diversão nos olhos, a mãe de Eva saiu por um instante e voltou com um pacote de absorventes, estendendo-o para a filha intrigada.

– Eu sabia que isso aconteceria logo – disse a mãe, explicando-se. Depois sorriu e sentou-se ao lado da filha, na beira da cama. Puxou a menina para si e a abraçou com amor e, com lágrimas nos olhos, sussurrou: – Minha criança está se tornando mulher.

TRÊS

A Escuridão da Lua

CONTAR HISTÓRIAS E FÁBULAS como forma de propiciar orientação, compreensão e percepção é uma tradição muito antiga na maior parte das sociedades. Muitas culturas tinham enorme respeito por seus contadores de história, porque eles sabiam controlar o poder do mito, ou seja, tinham a capacidade de se abrir para a consciência intuitiva das verdades interiores do ouvinte e, assim, torná-lo capaz de se identificar com os ritmos e as energias do universo.

Até bem pouco tempo atrás, apenas as classes mais abastadas da sociedade tinham acesso à educação e sabiam ler e escrever. Em muitas partes do mundo, esse ainda é o caso. Em muitas dessas sociedades orais, o conhecimento, a sabedoria e o aprendizado eram passados de tribo em tribo e de geração em geração na forma de histórias, que ensinavam à comunidade sobre a estrutura do universo, a natureza de suas energias, as deusas e os deuses que influenciavam a vida das pessoas, os ritmos da Terra e o lugar da humanidade em meio a tudo isso. Os contadores de história falavam de imagens e símbolos, que apareciam na mente do ouvinte enquanto a história era contada e ficavam em seu subconsciente, integrando-se à consciência cotidiana.

Nessas histórias, era comum o uso de arquétipos ou personagens representativas, imagens universais que refletem verdades às quais as pessoas reagem interiormente. Mesmo nos dias atuais, a mídia usa esses arquétipos em filmes, livros e jogos, tanto para adultos quanto para crianças. Filmes de terror representam a morte na forma de uma mulher sensual ou de uma velha bruxa, feia e assustadora; filmes de aventura mostram a virgem indefesa que precisa ser resgatada e que sempre acaba se apaixonando pelo seu salvador; e o alicerce da vida em família é sempre representado pela "boa mãe". O arquétipo, com frequência, é transposto para além do seu papel, no mito representado na tela e na imagem cuidadosamente construída em torno da própria atriz, como "deusa do cinema" ou "sereia *sexy*".

Para as sociedades mais antigas, o arquétipo representava uma estratégia de aprendizagem.

Por meio da identificação com a imagem, o ouvinte atingia uma compreensão interior, consciente ou subconsciente, e por meio dela podia despertar e expressar as energias do arquétipo.

Um dos arquétipos mais comuns, presente em muitas culturas, é o da força universal feminina, a "Grande Deusa". Com frequência, essa imagem era representada como três deusas ou personagens femininas separadas, que representavam o ciclo da vida da mulher: a Donzela, a Mãe e a Bruxa Anciã (ou mulher velha).

A Donzela* era representada, de modo geral, como energizada e dinâmica, refletindo a luz que se expande na Lua crescente, e associada à cor branca. A Mãe Brilhante era retratada como fértil e nutriz, refletindo a luz radiante da Lua cheia, e associada à cor vermelha. A Bruxa Anciã era representada como a detentora de sabedoria, o portal para a morte e o caminho para os poderes do mundo interior; ela refletia a luz que diminuía com a Lua minguante e levava ao aspecto escondido da Lua escura, associada à cor negra ou à azul.

O termo "Bruxa Anciã" era usado para descrever a mulher cujo ciclo menstrual havia terminado. Acreditava-se que, nessa fase da vida, a mulher absorvia seu sangue menstrual a cada mês, o que revelaria e liberaria seus poderes da criatividade, magia e visão interior. Em muitas sociedades, a mulher na fase pós-menstrual era vista como uma "mulher sábia" ou feiticeira, cuja capacidade de profetizar e comungar com os espíritos era imensamente respeitada. Hoje, a imagem moderna da anciã perdeu seu poder e as mulheres mais velhas não são mais respeitadas pela sua sabedoria e magia intrínsecas.

A descrição dos ciclos da vida da mulher ficaria incompleta, no entanto, sem a quarta fase, o aspecto oculto da Deusa, em geral representado à parte do trio luminoso. Trata-se da Mãe Escura, ou Mãe Terrível. Ela era representada como a morte ou a alma da Divindade, à qual tudo retornaria para

---

* A tradução da palavra "maiden" seria "virgem", no sentido original do termo latino, que quer dizer "mulher não casada, que não pertence a um homem, mas apenas a ela mesma". Como essa palavra adquiriu um significado diverso ao longo do tempo, o termo "maiden" é traduzido, na língua portuguesa, por "donzela". (N.T.)

renascer. No ciclo da vida de uma mulher, essa fase representaria a alma libertada com a morte.

Os diferentes aspectos da vida de uma mulher poderiam ser segmentados e representados pelas várias facetas e pelos arquétipos da Divindade. Porém o ciclo lunar também era reconhecido como a expressão da Divindade Feminina com a Terra e dentro mulher, e muitas figuras arquetípicas que representam os diversos aspectos da mulher na fase menstrual podem ser encontradas na mitologia e no folclore. A linda jovem Virgem ou Donzela inocente representava a fase pré-ovulatória do quarto de Lua crescente, as energias dinâmicas da primavera e as energias de renovação e inspiração. A Boa Mãe, ou Rainha, representava o período da ovulação, a Lua cheia ou a plenitude das energias do verão. Ela continha as energias de fecundidade, sustento e empoderamento. A Feiticeira na fase pré-menstrual representava as energias de retiro do outono e a escuridão que aumentava com a Lua minguante. Tratava-se de uma mulher sexualmente poderosa, que tinha o poder mágico e a capacidade de enfeitiçar e desafiar os homens; ela podia ser feia ou bonita e, em geral, figurava nas histórias como a pessoa que tinha o poder de usar seu corpo e sua sexualidade como parte de um feitiço. A Feiticeira representava a retração e a destruição e, com frequência, aparecia como a iniciadora da morte ou do desastre necessário para o crescimento. Por fim, a mulher velha e feia, a furtiva Bruxa Anciã, representava a fase menstrual do recolhimento das energias, bem como a beleza perdida da Terra no inverno. Ela era a Lua escura, fecunda das energias de transformação, da gestação e da escuridão interior.

Essas quatro imagens, da Donzela, da Mãe, da Feiticeira e da Bruxa Anciã, permearam o folclore e as lendas, associando o ciclo das estações não apenas ao ciclo lunar, mas também ao ciclo mensal das mulheres. A interpretação dos mistérios femininos sob a perspectiva moderna muitas vezes omite a importância e a experiência do ciclo menstrual. Não apenas os ritmos externos e as energias da vida eram originalmente expressos na mitologia, mas também os ritmos internos e as energias vivenciadas pelas mulheres na fase menstrual. Esses ritmos estavam tão intrinsecamente ligados ao entendimento próprio e basilar que as mulheres tinham da Lua, da Terra e da Deusa da Vida, que a visão superficial da modernidade – relacionada sobretudo a tabus culturais – teria sido impensável para as mulheres do passado. Os arquétipos da Donzela, da Mãe, da Feiticeira e da Bruxa Anciã oferecem o entendimento da verdadeira natureza da mulher e evidenciam quanto as mulheres precisam se conscientizar dessa natureza.

As histórias que revelam esse conhecimento do feminino não são apenas as que demonstram uma relação óbvia com as antigas religiões, mas também as oferecidas em forma de fábulas infantis, que guardam antigos simbolismos e a sabedoria das primeiras sociedades de tradição oral.

Será importante explorar com detalhes algumas das imagens e dos arquétipos que aparecem em "O Despertar", bem como suas origens e raízes.

A FÊMEA DUAL

Em muitas histórias, as mulheres são retratadas como uma dualidade; elas são consideradas tanto sob o aspecto positivo, como a virgem casta ou a boa mãe, quanto sob o aspecto negativo, como a destruidora, a bruxa feia ou a linda feiticeira má. Devido à influência exercida pela sociedade de dominância masculina sobre a definição do papel da mulher, o significado original de muitas histórias por vezes foi bastante distorcido, a ponto de não ser mais reconhecível. O aspecto mais sombrio da mulher passou a ser retratado como destrutivo, mas, em muitos casos, esse é o aspecto que a inicia num novo estágio de vida ou consciência. Isso pode ser visto nas histórias de *Sir Gawain e a Dama Abominável* (das lendas arthurianas) e nas histórias dos Grimm: *Branca de Neve* e *A Bela Adormecida*. Essas histórias podem ser consideradas mitos menstruais, pois contêm ensinamentos relacionados às experiências do ciclo menstrual e à transição da menina para a mulher adulta.

A história de *Sir Gawain e a Dama Abominável* começa quando o Rei Arthur é capturado e desafiado por um misterioso e sombrio cavaleiro. Em vez de matá-lo, o cavaleiro lhe propõe um enigma que precisaria ser respondido em até três dias, do contrário Arthur perderia o reino e a vida. O enigma era: "O que é que uma mulher mais deseja?". Em seu retorno a Camelot, Arthur para todas as mulheres que encontra e lhes faz a pergunta; infelizmente, o número de respostas diferentes é tão grande quanto o número de mulheres interpeladas! Por fim, Arthur encontra, sentada no bosque, uma mulher muito feia e deformada. Ela declara que sabe a resposta do enigma, mas que só a revelaria se Arthur lhe concedesse um desejo. Desesperado, ele aceita o acordo e recebe a resposta da charada, salvando a própria vida e o reino. No entanto, fica horrorizado ao descobrir que o preço a pagar para a velha feia era casá-la com um de seus cavaleiros.

Ao apresentar a Dama Abominável à corte, Arthur não se surpreende ao vê-la ser recebida com horror e asco pelos cavaleiros, e a ideia do casamento com tal noiva é repugnante a quase todos. Ainda assim, para surpresa da corte, o elegante *Sir* Gawain se dispõe a arcar com tal fardo e desposa a mulher numa grande cerimônia.

Na noite de núpcias, quando Gawain leva a velha repugnante para a cama, de repente ela se transforma numa jovem e linda dama. A jovem explica que estava sob o efeito de um feitiço e que, ao se casar com ela, Gawain havia desfeito metade do encantamento. Caso respondesse corretamente a um enigma, ele poderia libertá-la do feitiço por completo. A dama então lança a charada: "Você prefere que eu seja bela durante o dia ou durante a noite?". Gawain não consegue se decidir. Se fosse bonita à noite, ela seria uma amante aceitável e desejável, mas se fosse bonita durante o dia, ele seria invejado e teria mais prestígio na corte. Sem saber o que dizer, Gawain diz à mulher que ela deveria decidir por si mesma. E essa, é óbvio, era a resposta correta; assim que ele lhe presenteia com a própria escolha, o feitiço é quebrado e sua mulher permanece bonita tanto de dia quanto de noite.

A resposta a ambas as charadas, feitas a Arthur e a Gawain, é a mesma: a mulher precisa ser fiel à sua própria natureza, ou, usando as palavras de Arthur em resposta ao cavaleiro que o havia desafiado: ela quer "ser do jeito que é"! O que uma mulher mais quer é ser aceita como é. A sociedade masculina tende a limitar a mulher a uma imagem linear e estereotipada, ignorando sua natureza cíclica. Quando lhe é oferecida a escolha entre dois polos de sua própria natureza, a Dama Abominável torna-se capaz de absorver todos os seus aspectos e se transforma numa linda e serena mulher. É importante notar que, em ambos os casos, é o *homem* que precisa ter consciência desse fato. Na sociedade ocidental, raramente é permitido à mulher ser fiel à sua própria natureza. É necessário que ela proponha a charada aos homens a fim de despertar a compreensão deles.

Em *Branca de Neve*, o aspecto feminino mais sombrio aparece na história como a madrasta malvada, enquanto Branca de Neve é a Donzela Brilhante. Na história original, a malvada madrasta e rainha é uma mulher bonita, madura e experiente, em pleno controle dos poderes mágicos de sua condição de mulher adulta. Na forma de uma velha, ela oferece a Branca de Neve uma maçã muito vermelha envenenada – a cor é significativa. A rainha assume o papel de iniciadora; ela destrói a garotinha e oferece os poderes da menstruação por meio da maçã vermelha.

Depois de morder a maçã, Branca de Neve – que todos acreditavam estar morta – é colocada num caixão de vidro e recebe a visita de três pássaros: uma coruja, um corvo e uma pomba. A coruja esteve por muito tempo associada à morte, à sabedoria do subconsciente e à autorrealização. O corvo também é um pássaro ligado à morte, e a pomba simboliza a iluminação.

Posteriormente, Branca de Neve é despertada por um príncipe, que a torna sua mulher e rainha. Ela não é mais uma criança virgem, mas uma mulher que despertou para suas plenas energias criativas e sexuais, por meio da menstruação. Dessa forma, toda a história pode ser vista como uma alegoria da iniciação à vida adulta, à sexualidade e, por fim, à fase da Mãe.

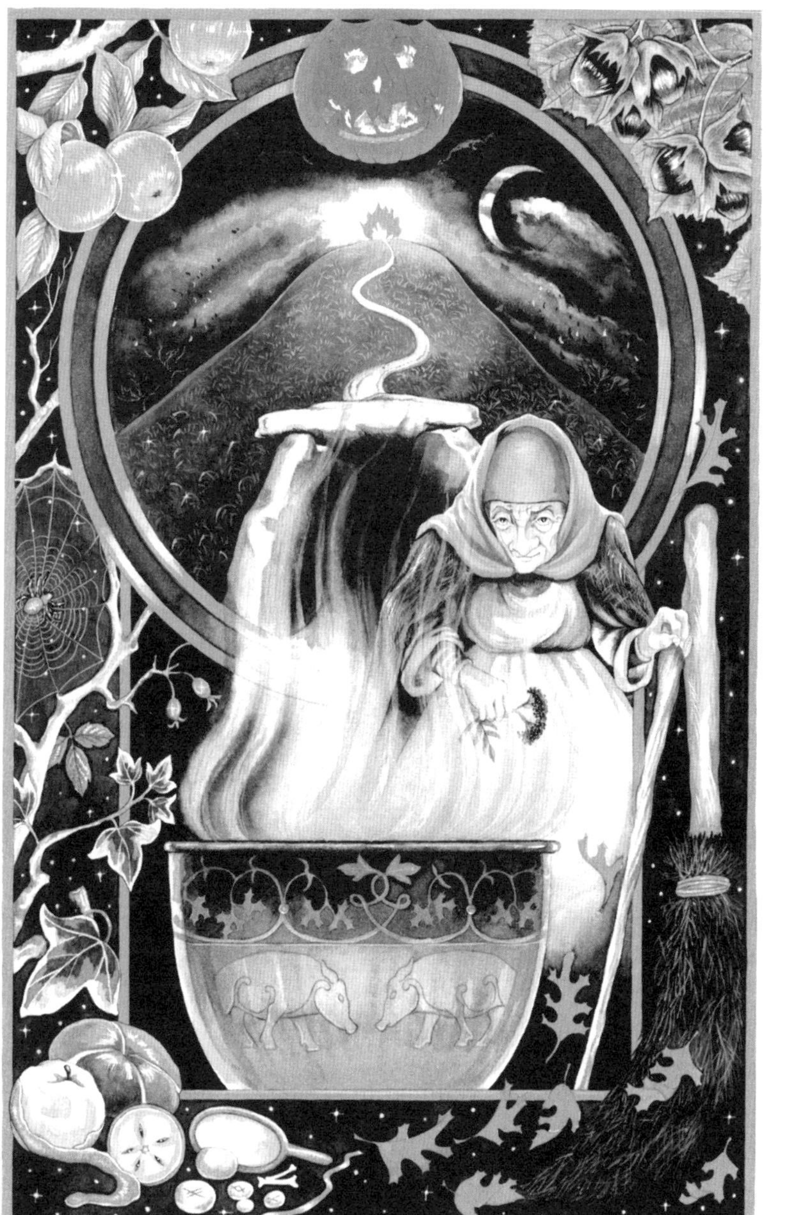

É interessante notar também que, no início da história original, a mãe da Branca de Neve aparece sentada costurando numa janela de ébano. Ao contemplar os flocos de neve caírem, ela espeta o dedo com a agulha de costura e algumas gotas de sangue caem sobre a neve. O sangue lhe pareceu tão bonito que ela desejou ter uma criança branca como a neve, vermelha como o sangue e negra como o ébano. Pouco depois, ela dá à luz uma menina de pele branca como a neve, lábios vermelhos como o sangue e cabelos negros como o ébano. As cores são significativas, por serem as cores dos aspectos da Deusa tríplice na vida de uma mulher.

Na história da *Branca de Neve*, todos os três aspectos da Deusa tríplice entram em cena, assim como o quarto aspecto, a Feiticeira. Branca de Neve, no início, representa a Donzela, e sua mãe verdadeira representa a Mãe. A madrasta má, por sua vez, cumpre dois papéis: inicialmente ela aparece como a linda Feiticeira e, depois, disfarçada como uma velha vendedora de maçãs, aparece como a Velha Feia/Bruxa Anciã.

A história *A Bela Adormecida* também pode ser vista como um conto menstrual. Nessa história, o pai, que é o rei, tenta impedir a filha de crescer e se tornar mulher. Quando a filha nasce, ele convida as mulheres sábias de seu reino para a celebração. No entanto, infelizmente ele tinha apenas doze pratos de ouro para presenteá-las e as mulheres sábias eram treze, o que o faz negligenciar o convite à menos atraente e mais feia entre elas. Durante a festa, cada mulher sábia se levanta e oferece à criança um presente que tornaria a vida da princesa mais bela. Quando a décima segunda mulher se levanta, a décima terceira, que não havia sido convidada, irrompe pela porta pronunciando uma profecia: ao completar 15 anos, a criança espetaria o dedo numa roca e morreria.

Embora a décima segunda mulher não tivesse o poder de invalidar essa profecia, ela pôde amenizá-la, fazendo com que, em vez de morrer, a criança caísse num sono profundo que duraria cem anos.

As treze mulheres sábias representam o ano lunar e, ao deixar de fora a décima terceira, o rei impede que o ritmo da natureza complete seu ciclo natural. Como a mulher não convidada profetiza, a pena inevitável para isso é a morte ou o fim do crescimento.

Numa tentativa desesperada de mudar a profecia, o rei manda queimar todos os fusos do reino – sentindo que, dessa forma, poderia manter a filha segura. O fuso é o símbolo dos ritmos cíclicos do universo e da progressão em espiral da teia da vida. Ao banir os fusos, o rei mais uma vez tenta interromper a progressão natural da vida e impedir que sua filha comece a menstruar e se torne mulher.

Em seu décimo quinto ano a princesa é atraída até uma torre abandonada do castelo, onde encontra uma velha desconhecida fiando. A garota, como previsto, espeta o dedo no fuso e, imediatamente, cai adormecida. Mais uma vez, a velha mulher, ou Bruxa Anciã, atua como iniciadora da menstruação, e o ato de "espetar o dedo" é usado como metáfora do primeiro sangue menstrual da princesa. É significativo que isso ocorra no décimo quinto ano de vida da menina, não apenas porque essa era uma idade provável para o início da menstruação, mas também porque o décimo quinto dia do ciclo lunar é época da Lua cheia. A menina não é mais uma Donzela, ela amadureceu e iniciou a transição para a escuridão da Lua minguante, a menstruação e a vida adulta.

A princesa permanece suspensa fora do tempo, e uma sebe cheia de espinhos se ergue ao redor do castelo, isolando-o do mundo. Depois de cem anos, o pivô do despertar da princesa, assim como na história de *Branca de Neve*, é um príncipe. É permitido ao príncipe atravessar a sebe e despertar a nova princesa na fase menstrual com um beijo.

A história trata não somente da passagem da menina à idade adulta, mas também da relação do pai com a menstruação da filha. O pai teme que a menina cresça, torne-se mulher e procure outro homem, e isso é evidenciado por suas ações.

Na história "O Despertar", a Dama Vermelha representa as faces da madrasta má, da décima terceira mulher e da Dama Abominável. Ela é a iniciadora, a que desperta as energias mais escuras e o entendimento dentro de Eva. Aqui, o termo "escuro" é usado para representar energias interiores que cumprem a função de empoderar e agregar, e não energias inerentemente más ou destrutivas. A Dama da Lua, por sua vez, representa os poderes vitalizantes e nutrizes da condição feminina. Ela guia Eva para a conscientização do seu ciclo e das suas energias. A Dama da Lua é a mãe verdadeira da Branca de Neve e a versão bela da Dama Abominável e, assim como a Dama Abominável, absorve ambos os lados do ciclo, a fim de se tornar uma única e equilibrada mulher no fim da história. Eva, é claro, tem o papel da Donzela e representa todas as mulheres que buscam conhecimento sobre sua própria natureza.

A GUARDIÃ DOS RITMOS

O desenvolvimento do ciclo menstrual da mulher foi um estágio importante para a evolução da espécie humana. Graças ao ciclo menstrual, as mulheres deram um passo adiante no reino animal, tornando-se capazes de excitação sexual e de serem sexualmente ativas ao longo de todo o mês, em vez de ficarem limitadas aos períodos esporádicos em que entravam "no cio". Durante o mês, as mulheres experimentavam picos em sua sexualidade e criatividade, fosse no período ovulatório, fosse no pré-menstrual. Isso lhes permitia acessar as energias criativas que nos animais estavam disponíveis apenas para a procriação. Nos momentos em que as mulheres não se encontravam férteis, a energia criativa lhes oferecia a possibilidade de gerar ideias, em vez de uma nova vida.

O paralelo entre a experiência do ciclo menstrual e o ciclo lunar propiciou o surgimento dos primeiros conceitos de medida e de tempo. Desde os primórdios, a humanidade criou unidades fundamentais de medida com base no corpo e em suas interações com as coisas à sua volta. Por exemplo, o tamanho do pé no chão ou a quantidade de terreno transposta com um único passo tornaram-se medidas de distância. Dos conceitos de sequência e medida vieram a divisão do tempo e os primeiros relógios e calendários. Muitas culturas contavam o tempo com base nas noites e nos meses lunares, estabelecendo seus festivais religiosos nas datas de Lua cheia. Mesmo hoje, a data da Páscoa, a festa cristã, é determinada pela Lua cheia, assim como muitas outras festas das religiões islâmicas e judaicas.

Reflexos do conceito que relacionava as mulheres e sua menstruação à Lua, às medidas e à sabedoria foram encontrados em muitas culturas ao redor do mundo e em muitas línguas. A palavra "menstruação" deriva da palavra latina para mês, que também significa Lua. Essas ideias encontraram expressão em muitas atividades que levaram à construção da civilização: a agricultura, a organização social, as artes e os artesanatos, o comércio, a educação, as profecias e a religião. Muitas imagens e muitos mitos que sobreviveram ao tempo retratam as primeiras deusas como aquelas que ensinavam à humanidade esses dons e habilidades. Com base nisso, conclui-se que a menstruação não era considerada uma maldição que afligia as mulheres, e sim uma dádiva da qual brotava a estrutura e a multiplicidade da cultura humana. A imagem da Lua como um reflexo do ciclo da mulher tornou-se um símbolo das energias criativas que ela personificava.

A sincronicidade entre o ciclo da Lua e o ciclo das mulheres também reflete a ligação entre a mulher e a Divindade. Por meio de seu ciclo, a mulher carregava o mistério da vida em seu próprio corpo e era capaz de criar a vida e garantir o futuro de seu povo. Ao trazer o não manifesto ao mundo da criação, cada mulher detinha os poderes do universo de dar a vida, de sustentar e de criar.

Um simbolismo similar foi encontrado na imagem da aranha. Assim como a aranha tecia sua teia partindo de seu próprio corpo, a deusa aranha era vista como a criadora da teia do tempo e do espaço, levando estrutura e vida a toda a criação. Ao mesmo tempo, ela tinha consciência de cada vibração na teia. Como a Dama da Teia, ela girava as teias da vida e as tecia com os padrões e os tecidos de todas as coisas vivas. Deusas posteriores foram associadas às habilidades de fiar e tecer, não apenas como padroeiras dessas artes, mas como representantes da tessitura da vida e da morte. A Deusa tecelã fiava a teia de um indivíduo com os fios da vida, a Mãe tecia a tapeçaria da experiência, o tempo cortava as teias e a Deusa escura desemaranhava os fios da tapeçaria a fim de voltar a tecê-los.

O ciclo menstrual do útero de uma mulher era visto como um ciclo de vida e fertilidade na ovulação e como um ciclo de morte e infertilidade na menstruação, um ciclo que era representado com as fases da Lua e que também era um reflexo das estações da Terra. Em muitas mitologias, esse mistério do útero era representado pela imagem de um recipiente mágico ou transformador. Na lenda do Santo Graal, ele toma a forma de um cálice, ou graal; nos mitos celtas mais antigos, ele toma a forma de um caldeirão; e, em alguns textos alquímicos, toma a forma de um frasco ou um alambique. Cada um desses recipientes oferecia abundância, fertilidade, vida, transformação, inspiração espiritual e iniciação.

A lenda do Graal, em particular, oferecia compreensão e consciência das energias do útero e do ciclo menstrual das mulheres. O Graal sagrado era indicado como o cálice que teria sido usado por Cristo na Última Ceia e que, mais tarde, teria sido usado por José de Arimateia para recolher o sangue que vertia das feridas de Cristo ao morrer. Ele era uma fonte de vida, assim como de inspiração espiritual, aos que se davam conta de que morreriam neste mundo para renascer no próximo. O Graal poderia oferecer vinho branco ou vermelho, assim como o útero oferecia os poderes da ovulação e da menstruação, da vida e da morte.

Nas histórias do Graal, as mulheres não buscavam por ele, porque o Graal, ou seja, os poderes da Divindade Feminina, *já faziam parte de sua própria natureza*. Ao longo das histórias, as personagens femininas refletiam os aspectos e as energias da Divindade Feminina, não como muitas mulheres diferentes, mas como muitos aspectos diferentes da mesma mulher. A lenda do Graal revelava às mulheres sua própria natureza e a necessidade de que elas, como detentoras do Graal, reconheçam todos os aspectos de suas energias e possam expressá-las no mundo.

Na história "O Despertar", a Guardiã dos Ritmos é a imagem de todas as mulheres na fase menstrual. Ela passa a existir com o verter do primeiro sangue menstrual e sustenta o ritmo de todas as mulheres, até a última. Simboliza o poder do tempo, das energias criativas, da civilização e da própria vida. Uma vez por mês, libera uma lágrima (a água da vida), que seria um óvulo; e uma gota de sangue (a fonte da vida), o útero no Graal.

A ÁRVORE DO ÚTERO

Há duas imagens principais usadas na mitologia e nas lendas para simbolizar as energias femininas. A primeira é a do cálice, ou Graal, que simboliza os potenciais regeneradores e transformadores; a segunda é a da árvore, ou pilar, que simboliza as energias dinâmicas, inspiradoras e estáticas. A imagem da sagrada Árvore da Lua é muito antiga e aparece repetidas vezes nas artes religiosas das mais diversas fontes, como as antigas culturas assírias, passando pela Igreja cristã medieval e chegando à Igreja cristã moderna.

Na arte assíria, a Árvore da Lua era representada cheia de frutos e com uma Lua crescente em seus troncos, ainda que essa imagem aparecesse, às vezes, estilizada como uma pilastra com a Lua no topo. A Árvore da Lua era com frequência representada com luzes e fitas, além de frutos – como a familiar árvore de Natal ou ao mastro enfeitado dos tempos modernos. O mastro poderia ser visto como uma Árvore da

Lua estilizada, com a dança circular das fitas brancas, vermelhas e azuis como as diferentes energias femininas que traziam a fertilidade primaveril.

Muitas deusas lunares eram relacionadas a uma árvore em particular, algumas das quais eram mágicas e outras eram espécies mundanas comuns. Na mitologia grega, a Deusa Atena representava o fogo criativo da inspiração e era representada com uma oliveira de frutos negros. A Árvore da Vida grega produzia maçãs douradas e era chamada Árvore de Hera, em homenagem à Deusa da Lua na aurora e no crepúsculo, cujo nome significava "útero".

A macieira também aparece em inúmeras lendas e histórias como a árvore que carrega o Fruto da Vida e é fonte de sabedoria menstrual. As histórias de *Branca de Neve* e de Adão e Eva mostram o fruto da macieira como o portador do despertar por meio da menstruação e da "maldição" da morte. No conto medieval *Vita Merlini* [*A Vida de Merlin*], uma vendedora de maçãs aparece como portadora da morte por intermédio da fruta. Rejeitada pelo jovem Merlin, a vendedora de maçãs tenta se vingar oferecendo-lhe, em outra época de sua vida, maçãs envenenadas. Embora Merlin escape da emboscada, seus companheiros comem as frutas e enlouquecem. Na lenda arthuriana, o Rei Arthur, mortalmente ferido na batalha de Camlann, é levado pela Fada Morgana a Avalon, a Ilha das Maçãs, no Outro Mundo, para ser curado.

Outra árvore de frutos vermelhos e com uma forte imagem da Árvore da Lua é a sorveira, também conhecida em inglês como *quickbeam*, "cinza da montanha" ou "madeira de bruxa". O termo *quickbeam* significa "Árvore da Vida". Ao lado da avelã e da maçã, o fruto da sorveira foi considerado o alimento dos Deuses, mas era um tabu comer as bagas vermelhas. A cor vermelha tem associações muito antigas com as energias da vida; ela representava o sangue da vida, o sangue do nascimento, o sangue da fertilidade e o sangue menstrual. Assim como a Árvore da Vida, os ramos da sorveira eram carregados de cachos de frutos vermelhos e brilhantes, e acreditava-se que eles carregavam os poderes das energias criativas, da inspiração, da profecia, da cura e da adivinhação.

Em "O Despertar", a Árvore do Útero é uma imagem pessoal da sagrada Árvore da Lua, da Árvore da Vida e da Árvore do Conhecimento. Em forma de útero e carregando os frutos da vida e as formas da Lua em seus galhos, ela oferece uma ligação consciente entre a mulher, as energias de seu ciclo e a Lua. As águas da Árvore da Vida são as águas do subconsciente da mulher; elas são a fonte interior da inspiração criativa, e é por meio dessas águas que damos à luz ideias e intuições. A água sempre teve uma forte ligação com o mundo interior, e seus primeiros adoradores lhe ofereciam preces de gratidão ou súplica, lançando-lhe oferendas ou pedidos. Ao visualizar a Árvore do Útero e lançar um pedido à água, a mulher pode criar uma conexão com sua fonte criativa e dar à luz suas ideias-filhas. O uso da Árvore do Útero em visualizações será abordado com detalhes no Capítulo 4.

O fruto da Árvore do Útero carrega o conhecimento sobre o ciclo menstrual e a vida concedida pelo poder dos ciclos e ritmos vitais. Ao apanhar o fruto, Eva desperta esses ritmos dentro de si e ativa a relação entre sua mente, seu útero e suas energias criativas. Contudo, não é possível ter o fruto sem a serpente, pois a experiência da serpente e de suas energias renovadoras é que traz o conhecimento sobre o ciclo menstrual.

A SERPENTE

Na mitologia, a serpente talvez seja uma das mais poderosas imagens de renovação e transformação. Ela é a guardiã da sabedoria do Mundo Inferior e da profecia. A capacidade da serpente de trocar sua velha pele e se renovar de tempos em tempos era refletida a cada mês na renovação da Lua escura e no ciclo menstrual das mulheres. Assim como a Lua, a serpente era vista como um símbolo de luz e escuridão e vivia sobre a terra, na superfície, ou abaixo dela, em buracos e cavernas. Ela representava os poderes da Lua escura, a energia dinâmica que nascia da consciência interior, ou o Mundo Inferior, e trazia à vida os poderes da profecia, da sabedoria, da inspiração e da fertilidade. Os movimentos sinuosos e ondulatórios da serpente reforçavam sua associação com a água e se tornaram um símbolo das águas do céu, como chuva fertilizante; das águas da Terra, como rios doadores da vida; e das águas do Mundo Inferior, como o útero que trazia o renascimento e a nova vida.

Em algumas mitologias, a serpente representava a força criativa que deu à luz o universo. Ela era vista como a energia dinâmica da Deusa, que era ou o útero da Terra ou o poder intrínseco a ela, que fazia as plantas crescerem.

Muitas deusas foram associadas a serpentes. Em alguns casos, isso poderia indicar que essas deidades eram, em sua origem, relacionadas a todo o ciclo lunar, e não a uma única fase com a qual foram associadas posteriormente.

Hel, a Deusa teutônica do Mundo Inferior e da morte, era a irmã da serpente do mundo Uroboros, que circundava os oceanos da Terra. Ambas, Inanna e Ishtar, foram representadas com serpentes, com frequência entrelaçadas em volta de um bastão, e eram chamadas Rainhas das Águas Superiores e Inferiores. No santuário de Cnossos, em Creta, foram encontradas estátuas das deusas e sacerdotisas com serpentes enroladas em seu corpo e em suas mãos. A grega Hécate, Deusa da Lua escura, era representada com serpentes nos cabelos, e Deméter, a Deusa do Milho, era acompanhada por uma serpente.

Em particular, as Deusas padroeiras do aprendizado, do oráculo, da cura, da sabedoria e da inspiração eram associadas a serpentes. A sacerdotisa Ártemis era chamada "pythia", ou serpente, e seu santuário era um lugar de cura e profecia. O escudo de Atena e a égide que ela usava sobre os ombros eram adornados com a figura da cabeça de Górgona com cabelos de serpente, cuja égide também era envolta por serpentes. Nas lendas celtas, a Deusa Brida (ou Brígida) era particularmente associada às serpentes, e a Deusa egípcia de cabeça de serpente, Heh, era chamada de "A Reveladora da Sabedoria".

As serpentes também eram encontradas na mitologia e nas lendas como guardiãs da Árvore da Vida. A árvore, como uma imagem da Deusa, representava a união entre a Terra, o Paraíso e o Mundo Inferior e, por meio dela, as energias da vida brotavam no símbolo da serpente. A serpente era a seiva ascendente e descendente, o aspecto que representava a vida, a morte e a renovação da eterna fonte da vida. A construção imagética da história de Adão e Eva é similar à encontrada na Mesopotâmia, no Egito e em outras culturas em que a Divindade Feminina esteve representada. A Árvore da Vida, cujo ritmo anual de queda e renascimento das folhas ecoava os ritmos da serpente, da Lua e das mulheres, era uma imagem da morte, seguida de renascimento. Na história de Adão e Eva há duas árvores, a Árvore da Vida e a Árvore do

Conhecimento, que separam o conceito da consciência individual do ciclo de vida do conceito do renascimento da consciência do ciclo da natureza. Eva, porém, une essas ideias ao apanhar o fruto. Ao colhê-lo, ela assume a natureza cíclica da menstruação. Ela se conecta aos ritmos da natureza e do universo e se torna consciente, ela mesma, da interconexão entre esses ritmos e o ciclo da vida.

Esse dom, que deveria ser visto como portador do conhecimento da vida, da morte e do renascimento por meio do ciclo da mulher, foi, em vez disso, considerado um símbolo de traição, evidenciando a decisão da raça humana de levar morte e vilania ao mundo. A menstruação de Eva, e sua consequente expulsão do Éden, tornaram-se a causa raiz da mortalidade do ser humano, cuja morte era vista como um fim, não como parte de um ciclo contínuo. Esse dom foi ainda mais distorcido: a sexualidade e a fertilidade que vêm com o ciclo feminino passaram a ser vistas como pecaminosas, e, por nascer de um útero, toda a vida humana herdava o mal inerente ao útero, o "pecado original". O dom da feminilidade tornou-se, então, a "maldição" da feminilidade.

Ainda que não haja menção desta história na Bíblia, muitas tradições defendem que Eva era, na verdade, a segunda mulher de Adão. A primeira mulher, Lilith, teria sido criada em pé de igualdade com ele e fugido do Éden quando sua sexualidade foi negada. Diferentemente de Eva, Lilith já possuía os poderes da feminilidade. Ela personificava a destruidora, a tentadora e a morte, todos os aspectos da Lua escura temidos pela sociedade patriarcal e negados pela imagem inicial de Eva, "boa" e inocente. Em lendas posteriores, Lilith tornou-se uma mulher tentadora, agressiva e sexualizada, a consorte de Satanás, que dominava os instintos básicos e os prazeres carnais. Nas artes medievais, ela era a serpente enrodilhada na Árvore da Vida, muitas vezes representada com o mesmo rosto de Eva. Ao tentá-la, Lilith despertou dentro de Eva seu ciclo menstrual, revelando-lhe o conhecimento da luz e da escuridão contido nele e tornando-a, aos olhos dos homens, "má" como Lilith.

Após morder a maçã, Eva ofereceu o fruto a Adão e, com isso, ofereceu também a consciência e o conhecimento da Árvore da Vida por meio de si mesma. Em outras histórias ou lendas, é dito aos homens que eles não devem colher os frutos da Árvore da Vida, pois, para eles, os frutos seriam envenenados. Num conto de fadas escocês do período medieval, esse aviso era dado ao mortal Thomas, o Rimador, pela Rainha das Fadas, que o abduziu e carregou para o outro mundo. O fruto da menstruação não pode ser colhido pelos homens, pois ele detém o conhecimento intrínseco à natureza rítmica feminina, *mas suas dádivas podem ser oferecidas aos homens pelas mulheres que tiverem colhido o fruto.* Esse poderoso e importante simbolismo da história de Adão e Eva foi substituído pela imagem depreciativa da mulher, cuja natureza seria mais fraca que a do homem, sendo ela também a fonte da tentação que afastaria os homens da Divindade, em vez de aproximá-los.

Em algumas culturas, acreditava-se que o primeiro ato sexual de uma menina acontecia com uma serpente e que isso causava a menstruação. Em outras, era a picada de uma serpente que fazia com que o sangramento tivesse início. Ambas, a Eva de "O Despertar" e a Eva do Jardim do Éden despertaram para a própria condição de mulher adulta por meio da intervenção de uma serpente. O conhecimento da vida apresentado pelo fruto e inerente a tal condição não pode ser recebido sem a aceitação das energias rítmicas sexuais e criativas da serpente.

ANIMAIS LUNARES

Os animais têm um papel importante nas lendas e na mitologia, nas quais são com frequência retratados como detentores de capacidades mágicas poderosas e transformadoras. Infelizmente, com a adaptação das imagens dos animas para personagens de histórias infantis "bonitinhos", higienizados e seguros, esse aspecto místico se perdeu. Muitos animais encontrados em velhas histórias e lendas, no entanto, têm uma forte associação com a Lua e costumam ser relacionados a mulheres ou deusas. Eles têm um importante papel nessas histórias, seja oferecendo ensinamento e orientação, seja representando as energias da mulher ou da Deusa numa forma com a qual a pessoa possa se relacionar num nível não intelectual. Alguns animais representam uma faceta particular da Deusa, em alguns casos um aspecto que perdeu importância ou foi escondido. Outros personificam as energias ocultas das mulheres ou da Lua.

Esses animais não são apenas parte da história, são imagens que ganham vida em nossa mente e fantasias. Eles representam o nível instintivo do nosso ser, um nível que é importante para a mulher, mas reprimido pelo mundo moderno cientificista.

Não é viável, num livro como este, analisar todos os animais que têm conexão com a Lua ou associações com o feminino, mas é válido considerar alguns, entre os mais óbvios, e também outros não tão óbvios assim.

A borboleta

O uso da borboleta como símbolo da feminilidade remonta ao período Neolítico. A imagem da borboleta representava a Deusa minoica da Vida e da Fertilidade, e a forma de suas asas, os lábios que evidenciavam a entrada da vagina da mulher. Na cultura asteca, a borboleta era usada como um símbolo da fertilidade e da vegetação, e uma espécie particular de borboleta era o símbolo da Deusa em rituais associados a mulheres e flores.

A borboleta era associada à alma e ao fogo do espírito e do renascimento. A transformação da lagarta em borboleta era vista como uma metáfora do conceito de vida após a morte, em que se deixava a velha forma de um corpo material para se viver numa forma nova e mais bonita. Numa lenda irlandesa, Etain foi transformada em borboleta por um rival apaixonado e viajou o mundo sob essa forma até renascer mais uma vez como humana. A borboleta também era associada ao fogo e a palavra gaélica para descrever a tocha acesa no fogo cerimonial, para então acender as fogueiras da comunidade, era a mesma usada para denominar a borboleta.

Assim como outras imagens femininas, a borboleta era relacionada à Lua, e a curva de suas asas refletia a curvatura da Lua crescente e da Lua minguante. Sua forma foi estilizada pela cultura minoica na imagem do *labrys*, um machado com duas cabeças.

O unicórnio

O unicórnio era visto como uma criatura da Lua. Ele era sábio e belo, representava pureza, gentileza e proteção e

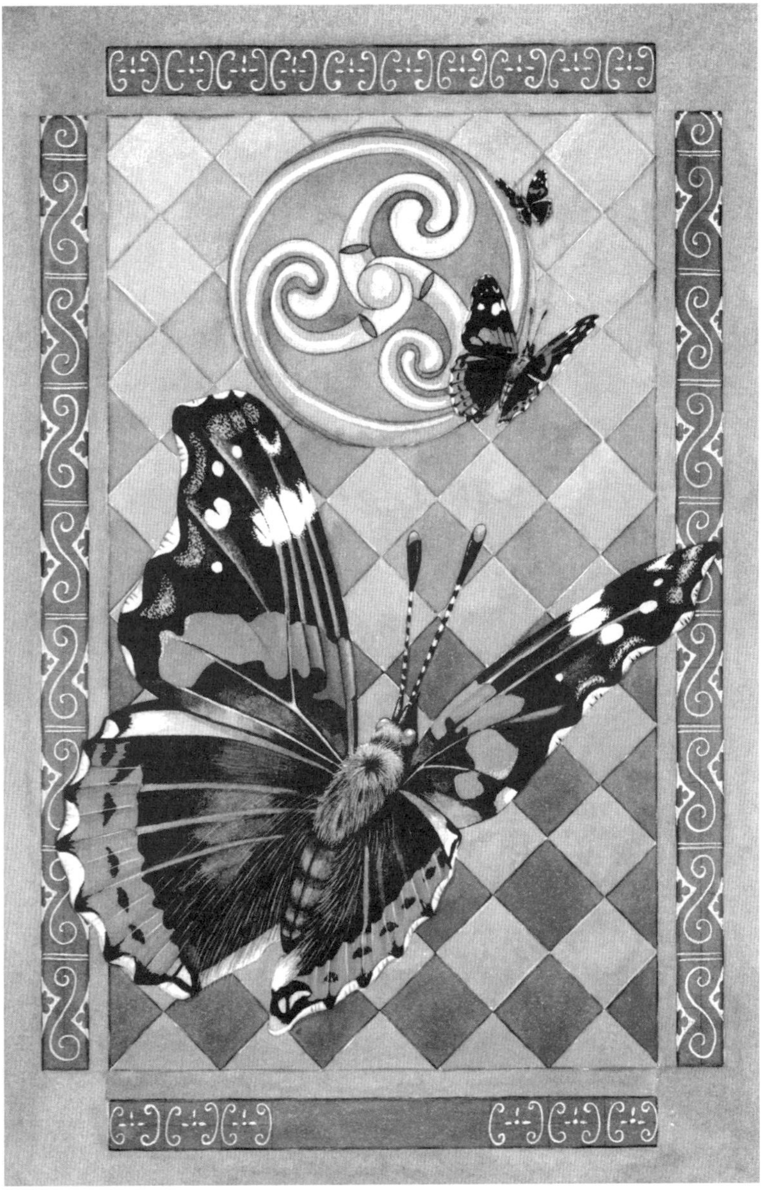

iniciava a mulher na vida adulta. Há muitas descrições do unicórnio, com relatos das formas de seu corpo e tamanhos que variavam entre o de uma cabra ou de um cervo grande, mas a imagem que permaneceu foi a de um cavalo branco com um único chifre no centro da testa. O chifre, que poderia ser pontiagudo ou espiralado, era chamado de "alicórnio" e foi descrito como sendo branco na base, negro no centro e vermelho na ponta, cores associadas às representações lunares femininas. O alicórnio tinha a habilidade de proteger e de tornar qualquer veneno inofensivo, refletindo o poder da transformação. Na mitologia romana, o unicórnio era associado à caçadora Diana, que dirigia uma carruagem puxada por oito desses animais.

    O unicórnio era visto como um animal nobre e inteligente, que vivia sozinho na floresta selvagem como o guardião das outras criaturas do reino da floresta. Selvagem e perigoso demais para ser caçado à maneira tradicional, a única forma de capturá-lo era atraí-lo para uma armadilha, cuja isca era uma virgem, às vezes sentada por sua própria vontade, ricamente vestida, e outras vezes contra sua vontade, atada nua a uma árvore. Atraído pela pureza da Donzela, o unicórnio deitaria a cabeça no colo da menina e se deixaria ser capturado e morto. A ponta vermelha do chifre transformador do unicórnio, deitado no colo da jovem, pode ser vista como um símbolo da menstruação, do despertar da puberdade e da experiência sexual.

    O unicórnio trazia o primeiro sangramento à virgem, oferecendo-lhe a espiral do ciclo por meio das fases e das cores da Lua. O animal não era atraído pela donzela, mas ele é que levava a todas as virgens o dom da condição de mulher adulta. O símbolo fálico do chifre pode indicar que, assim como a serpente, o unicórnio era considerado o primeiro parceiro sexual da mulher, o qual lhe trouxe seu sangramento. Os homens nunca deveriam caçar um unicórnio, pois ele representava os poderes da feminilidade; entretanto, uma vez capturado pela virgem, o unicórnio poderia ser guiado pela moça, por ser então uma parte dela mesma. A caça do unicórnio poderia recordar a busca pelo Santo Graal, que só poderia ser encontrado pelos homens com a ajuda de mulheres. Acreditava-se que, a cada vez que um unicórnio morria, um pouco de magia também deixava este mundo. No mundo moderno, em que as energias da feminilidade têm sido reprimidas, são poucos os unicórnios. Talvez tenha chegado o momento de chamá-los de volta.

A *pomba*

Muitas deusas lunares eram representadas como deusas-pássaros, e a pomba, de modo particular, foi longamente associada à divindade feminina e à Lua. Ela era um símbolo de Ishtar, Astarte, Inanna, Reia, Deméter, Perséfone, Vênus, Afrodite e Ísis e tornou-se a representação do Santo Graal. A pomba também é encontrada em muitas imagens da Virgem Maria. De modo universal, a pomba era o símbolo da Rainha do Paraíso, da feminilidade, da gentileza, do amor, da sexualidade, da espiritualidade, da sabedoria e da paz.

Como símbolo da luz da Lua, a pomba trazia sabedoria e inspiração ao mundo. Na tradição gnóstica, Sophia, a "Sabedoria Sagrada", era representada pela pomba, vista como a portadora da luz da Mãe Celestial para a Terra. Na arte medieval cristã, a pomba era representada pelo Espírito Santo e pintada pairando sobre a cabeça de Maria na Anunciação e sobre Cristo em seu batismo.

A pomba também era associada à Árvore da Lua e, com frequência, retratada sobre seus galhos. Outra imagem similar que podia ser encontrada era a da pomba pousada nos cabelos da Deusa da Lua. A pomba com o ramo de oliveira no bico, oferecendo o fruto da árvore, era um emblema da renovação da vida tanto para Ishtar quanto para Atena.

Assim como eram sagradas para as deusas, as pombas brancas eram sagradas também para as Moiras e refletiam a ligação entre os pássaros e os poderes proféticos e oraculares da Lua. O antigo oráculo grego de Dodona era um carvalho em que vivia um bando de pombas, cuidadas por sacerdotisas que se denominavam, elas mesmas, "pombas". O oráculo se dava nas vozes dos pássaros, em seu som farfalhante por entre as folhas ou em seu voo. Nas pinturas da Anunciação, a pomba às vezes era representada com a cabeça na direção do ouvido de Maria, como se lhe contasse seu destino.

Além disso, a pomba simbolizava o aspecto da Lua que concedia a vida e o amor. Representava o dom da natureza feminina de trazer harmonia reunindo o espírito à consciência, a humanidade à natureza e a voz interior da sabedoria à intuição.

O cavalo

Em muitas culturas, o cavalo, em particular a égua, representava os poderes da fertilidade, da energia vital, da profecia, da magia e das profundezas emocionais e instintivas. A égua branca simbolizava os poderes da Lua, e seus cascos em forma de lua crescente traziam sorte e proteção. A égua simbolizava a maternidade, o amor e a fertilidade da Terra. Como o poder da Terra, ela trazia Soberania. Na Irlanda, o cavalo era usado como parte do ritual de coroação do rei. Também se acreditava que o espírito do milho tomava a forma de um cavalo nas colheitas.

Mesmo nos tempos modernos, a imagem do cavalo na forma de um *hobby horse* ainda é exibida em datas especiais ligadas à passagem do ano. Um *hobby horse* é uma fantasia feita para ser vestida por uma pessoa, na maioria das vezes pintada de preto, vermelho ou branco.

Para o povo celta, o cavalo tinha uma grande importância. A deusa equina gálica Epona, cultuada pelos celtas, era uma deusa tríplice. Normalmente era retratada montada numa égua ou junto a éguas e seus filhotes, segurando uma cornucópia, um pente, um espelho ou um cálice. A deusa equina equivalente dos galeses era Rhiannon, que tinha um bando de pássaros cujo canto poderia despertar os mortos ou provocar o sono profundo nos vivos, o que refletia seu aspecto mais escuro como deusa da morte e do renascimento.

O cavalo era relacionado aos lagos, ao mar e também à terra. A égua representava a Grande Mãe das águas primordiais, a fonte da vida. Mesmo atualmente, as brancas cristas das ondas são mencionadas como "cavalos brancos". A água, para os celtas, era associada ao Outro Mundo e, em suas lendas, cavalos mágicos carregavam heróis pelos mares até a terra maravilhosa. As histórias folclóricas falam de cavalos mágicos que pastavam às margens de lagos e poços; se alguém tentasse montar esses animais, eles jogariam o cavaleiro nas águas e o afogariam ou devorariam. Em algumas histórias, os cavalos podiam ser identificados pelo fato de terem os cascos e ferraduras invertidos. Essas imagens de cavalos relacionados à água refletiam os aspectos lunares sombrios associados à morte e a passagem para as profundezas do ser.

Os cavalos faziam a ligação entre os mundos visível e invisível e eram montados por xamãs que podiam viajar entre esses mundos. Também se acreditava que uma bruxa poderia transformar-se num cavalo com facilidade.

Em outra imagem, o cavalo simbolizava o ciclo lunar inteiro. Ele representava as forças dinâmicas da vida e a fertilidade manifesta das fases visíveis da Lua, ao mesmo tempo que representava os poderes interiores e ocultos de transformação e a morte com a Lua escura.

O grou

O grou não é um pássaro associado a muitas histórias folclóricas e lendas. Na mitologia grega, ele era visto como guardião e símbolo de vigilância e paciência. Na tradição celta, ele tinha fortes associações com o feminino. O grou europeu é um grande pássaro cinza de pescoço longo e branco e cabeça preta, com o topo de um vermelho brilhante. Como pássaro aquático, era relacionado ao Outro Mundo e visto como um animal mágico e secreto, com poderes sombrios.

Nas lendas celtas, o grou era associado às deusas hostis, às velhas mulheres de mau temperamento ou às mulheres sexualmente promíscuas. Há várias histórias em que as mulheres são transformadas em grous: São Columba, da Irlanda, transformou a rainha e suas servas em grous como castigo; Manannan, o Deus do Mar, possuía uma bolsa mágica feita com a pele de um grou que um dia havia sido uma mulher, transformada por causa de seu ciúme; e o herói irlandês Fionn, quando criança, foi salvo de cair de um penhasco por sua avó, que se transformou num grou.

O grou também era associado à morte, ao fim do ano velho e à mudança das estações. Histórias irlandesas tratam dos "quatro grous da morte", filhos encantados de uma velha chamada "A Bruxa do Templo". Outra lenda conta que o deus Midir tinha três grous que poderiam roubar dos guerreiros a coragem e a força para lutar e que, se um guerreiro visse um grou num campo de batalha, tratava-se de um mau presságio. O enfraquecimento do espírito do guerreiro atribuído ao grou demonstra tabus muito parecidos aos associados às mulheres menstruadas.

Em todas essas histórias, as mulheres grous demonstram comportamento e capacidades correspondentes aos das fases menstruais e pré-menstruais. Elas são vistas como rudes, hostis, sexuais e capazes de trazer desastre e morte aos homens. O grou, entretanto, também era ligado à profecia, à mudança dos ciclos, ao transe reflexivo e à tutela, representando os aspectos positivos dessas fases.

A coruja

Nos tempos modernos, a coruja tornou-se símbolo de sabedoria por meio de sua associação à deusa grega Atena e à deusa romana Minerva, mas seu antigo simbolismo, presente nas tradições da Roma e da Grécia antigas, estava relacionado à morte e à destruição. Acreditava-se que ouvir o chamado de uma coruja à luz do dia ou por três noites seguidas era um anúncio de morte. Na Escócia, a coruja era conhecida como *Cailleach*, ou anciã, associada ao inverno e à morte.

A coruja também tinha uma forte conotação sexual. No País de Gales, dizem que o piado de uma coruja significa que uma mulher solteira acabou de perder a virgindade. Nas lendas celtas, a coruja aparece na história de Lleu. O tio de Lleu, que tem poderes mágicos, usa flores e plantas para fazer para o sobrinho uma noiva mágica chamada Blodeuwedd, que significa "Rosto de Flores" em galês. Blodeuwedd, porém, foi fiel a Lleu apenas enquanto as flores mantiveram seu perfume, apaixonando-se em seguida por um caçador. Esse caçador feriu Lleu gravemente com uma flecha, o qual estava à beira da morte quando foi encontrado e curado por seus tios. Como castigo por sua traição, a noiva infiel foi transformada numa coruja e, ainda hoje, a palavra na língua galega para coruja é *blodeuwedd*.

Blodeuwedd era uma mulher sensual que seguia sua própria natureza. Por muitas razões, a culpa pela traição não era dela, mas do homem que a criou com expectativas pouco realísticas. A história de Blodeuwedd assemelha-se à de Lilith, feita, assim como Adão, da própria terra. Por ser sua igual, ela recusou-se a ter relações deitada embaixo dele e fugiu do Éden. Lilith passou então a ser relacionada à coruja e a seu piado e era representada com garras nos pés e asas de pássaros. Ela era vista como demoníaca, como o aspecto negro da Lua e da feminilidade. Ela era a Rainha do Mundo Inferior, quem levava a morte aos bebês e seduzia os homens durante a noite. Como tal, era o aspecto escuro de Eva, a maldição menstrual que Eva trouxe ao mundo por meio da serpente.

Ambas as histórias mostram a verdadeira natureza da mulher, para passar de Donzela a Bruxa Anciã. A coruja simbolizava os poderes ocultos inerentes a ela, a sabedoria do ciclo menstrual e a transformação e a morte necessárias ao velho eu a fim de que haja renovação.

A lebre

Lebres, e posteriormente coelhos, eram símbolo de fertilidade, das energias dinâmicas de vida, de crescimento, renovação e prazer sexual e estavam associadas de forma direta à Lua e a suas deusas. De modo particular, a lebre estava associada à deusa Ostara, que deu seu nome à festa moderna da Páscoa*. Ostara era representada com uma cabeça de lebre, e eram suas lebres que deixavam os ovos da nova vida para anunciar o nascimento da primavera – uma imagem que ainda pode ser encontrada no moderno "coelhinho da Páscoa".

A deusa escandinava da Lua e Freya, a Deusa do Amor e da Fertilidade, eram servidas por lebres, assim como a deusa romana Vênus. Dizem que os desenhos na superfície da Lua representam um coelho ou uma lebre e, na tradição ocidental, a lebre se torna fértil ao olhar para a Lua no céu.

A lebre também era associada aos poderes lunares e femininos da adivinhação, à transformação, à sexualidade e à loucura inspirada. A rainha celta Boadiceia tinha uma lebre para adivinhação: ela a soltava de debaixo de seu manto antes da batalha e, de acordo com o rastro que ela deixava com a sua corrida, previa-se o que estava por vir.

A relação da lebre com a sexualidade sobreviveu até os tempos modernos e encontrou expressão no conceito de

---

* Do inglês *Easter*. (N.T.)

"coelhinha", a *bunny girl*. Possivelmente devido a esses seus aspectos "indesejáveis", a lebre era vista pela Igreja medieval como animal de mau agouro e foi associada às bruxas. Uma bruxa na forma de uma lebre só poderia ser morta com um crucifixo de prata ou, posteriormente, com uma bala de prata.

A DEUSA ESCURA

A imagem pré-histórica da fonte da vida era a de uma deusa vista como um útero transformador ou como a força geradora e dinâmica que teria criado o universo e toda a vida. Ela era tida como a força de vida invisível que mantinha o universo, e a criação era seu corpo manifesto.

A expressão dessas imagens era observada no ciclo da Lua e em suas fases. A Deusa era vista como a manifesta nas três fases luminosas da Lua; ela era a trindade de crescimento, frutificação e declínio, refletindo o ciclo transitório das estações e da vida. A Deusa não manifesta era a fase escura da Lua, o útero, o invisível, a contínua fonte da vida. Representações posteriores da Deusa da Lua a mostravam como uma trindade, em vez de uma Deusa de quatro aspectos, não porque o aspecto escuro era desconhecido, mas porque ele estava oculto do olho humano, assim como a fase escura da Lua. Ela era a escuridão do invisível, o não manifesto, a fonte da vida e os potenciais, além da pura consciência que habitava por trás da trindade de luz. Sua escuridão era a essência de todo o ciclo, assim como as fases luminosas não poderiam ser percebidas a não ser em relação à escuridão.

A imagem da Deusa da vida e da morte, da escuridão e da luz, como uma representação do ciclo inteiro da Lua, foi dividida. A imagem da Deusa escura das energias destrutivas e da morte foi separada do seu outro aspecto, das energias generativas e da vida. A imagem feminina da morte e da destruição não vinha mais acompanhada da imagem consoladora do retorno ao útero universal a fim de renascer e, dessa forma, o ciclo lunar de vida, morte e renascimento foi rompido. A imagem da divindade feminina tornou-se polarizada, com a brilhante Deusa da Vida e a terrificante Deusa do Mundo Inferior, que trazia com ela o fim, representado pela morte.

A poderosa sexualidade e as energias destrutivas sentidas pelas mulheres em seu ciclo menstrual se fundiram às imagens de deusas da guerra sedentas de sangue. O aspecto criativo dessas energias foi ignorado, e a imagem de uma deusa selvagem, sexualizada e louca por sangue foi a expressão dada a Ishtar, Sekhmet e Morrigan. A acolhedora Mãe da Morte passou a ser percebida como uma criatura má, cujo único interesse é perpetrar uma destruição desenfreada e sem sentido. A ligação entre sexo e violência perpetuou-se na sociedade moderna, em filmes, livros e em inúmeros estupros às mulheres. A imagem original, da sexualidade e da morte entrelaçadas, foi horrivelmente distorcida. A Destruidora como mensageira da mudança é assustadora se vista de uma perspectiva linear, mas, se vida e morte forem vistas como um ciclo contínuo, ela se torna o caminho para uma nova vida e um novo crescimento.

As deusas foram muitas vezes limitadas, na mitologia, ao aspecto da boa "Mãe da Vida" ou da assustadora "Deusa da Morte", mas em alguns casos suas imagens ainda sustentam reminiscências do ciclo completo. Hécate, a Deusa grega da Lua Escura, era a Rainha das Bruxas e a Deusa da Morte. Como o aspecto sombrio e minguante da Lua, ela era a padroeira da adivinhação, dos sonhos e da magia, e também a força que emergia da escuridão interior, trazendo visões, compulsões, inspiração extática e loucura destrutiva. Como Rainha da Morte, Hécate segurava a tocha da regeneração e do renascimento. Em outras histórias, ela era retratada com uma faixa brilhante na cabeça e como uma deusa terna de coração. Hécate foi quem demonstrou compaixão por Deméter, de luto depois do rapto de Perséfone. Ela era reverenciada como uma imagem tríplice e nas encruzilhadas, onde os quatro caminhos refletiam as quatro fases da Lua. Aproximando-nos das encruzilhadas, podemos ver três caminhos à frente, mas o quarto caminho está escondido sob os nossos pés.

Atena, a Deusa virgem da Sabedoria e do Intelecto, também carregava imagens de seu aspecto mais sombrio. A cabeça da Górgona era muito associada a Atena, representada com seu escudo ou égide. Nas lendas, a Górgona era a Medusa, uma mulher com serpentes no lugar de cabelos e cujo olhar transformava os homens em pedra. Seu sangue tinha o poder de matar ou de renovar, dependendo da veia da qual vertia. O fato de seu rosto ser emoldurado por serpentes retorcendo-se, refletindo a imagem da vulva, fez dela um símbolo de sexualidade, regeneração, criação, renovação e morte. Atena também era representada com uma coruja, animal associado à morte e aos poderes da profecia.

Ambas, Hécate e Atena, trazem em certa medida a representação de outros aspectos e fases da Lua, concentrados na imagem de uma única deusa.

A descida de uma deusa ao reino dos mortos, no intuito de trazer de volta nova vida e conhecimento, é um tema recorrente na mitologia e reflete o ciclo das estações, da Lua e das mulheres. Na lenda grega, Perséfone, a filha de Deméter,

Deusa do Milho, foi raptada e levada ao Mundo Inferior. Deméter, em sua dor, negou ao mundo seus poderes de fertilidade e crescimento até que sua filha fosse encontrada. Perséfone só poderia retornar definitivamente ao mundo se não trouxesse nada do Mundo Inferior consigo, mas ela comeu algumas sementes de romã, ato que a condenou a voltar ao Mundo Inferior uma vez ao ano.

Perséfone, ou Cora, era a Donzela da espiga de milho, o grão, enquanto Deméter era o próprio milho. A história evoca o princípio unificador do ciclo da Lua, no qual a filha apresenta a mesma substância da mãe. A colheita do milho e sua morte não matam o que faz o milho crescer, mas são necessários para que ele seja trazido de volta à vida. Perséfone, como o grão de milho, permanecia no Mundo Inferior até o renascer da primavera e, durante esse período do ano, era a Rainha dos Mortos.

A descida de Perséfone também pode ser interpretada como um reflexo do ciclo das mulheres, bem como do ciclo da vida. Uma vez por mês a mulher se recolhe na fase minguante de seu ciclo mensal para descansar na escuridão da menstruação. Perséfone, como Eva, colhe o fruto vermelho da menstruação e, assim, se conecta ao ciclo de recolhimento, renovação de energias e descida ao Mundo Inferior. Acima dela, na superfície, é inverno, e Deméter retira as energias de fertilidade do mundo, refletindo a ligação entre o ciclo da mulher e o ciclo da Terra. Na menstruação, a mulher vivencia o recolhimento de suas energias do mundo exterior e foca a atenção em seu interior como forma de contribuir para seu próprio crescimento e sua compreensão, podendo, assim, expandir o conhecimento ao mundo cotidiano. Perséfone e a mulher menstruada estão no inverno, com suas energias férteis retiradas. A primeira descida à escuridão é necessária a fim de que a Donzela cresça e se torne mãe. As descidas sucessivas, a cada mês, permitem que a mulher receba de volta a parte mais jovem do seu ser, de modo que a vida possa recomeçar. Descer a cada mês com Perséfone é descer ao Mundo Inferior do inconsciente, no intuito de se aproximar da fonte de toda a vida e da consciência e dar significado à vida, compreendendo-a.

A história "O Despertar" acompanha o caminho de Eva em sua primeira descida. A Dama Vermelha é a Feiticeira, ou a madrasta má, e, ao despertar em Eva os poderes da mulher, destrói a criança nela. A Dama Vermelha tem o poder da visão, da magia, da transformação e da verdade. Na escuridão, sua visão conduz Eva à loucura, à compulsão, à inspiração extática e às energias sexuais e dinâmicas. Antes que essas energias tragam destruição, a ela e por meio dela, a menina é chamada pela Mãe da Escuridão para transformar suas energias, criando a partir da destruição e trazendo luz da própria escuridão. Ao descer, Eva experimenta a existência de dois mundos, o mundo cotidiano, visível, e o mundo interior, invisível. Como as deusas pré-históricas, ela pertence a ambos os mundos e se move entre os dois a cada mês. Sua primeira descida inicia a espiral dos ciclos de renovação, que a acompanhará pela sua vida fértil.

SOBERANIA

As histórias celtas e, posteriormente, as lendas arthurianas muitas vezes apresentavam mulheres místicas que apareciam como as representantes terrenas das Deusas da Soberania ou da Terra. Como soberanas, essas mulheres eram capazes de oferecer as dádivas da criatividade, da sabedoria e do reinado divino. Por meio do casamento com as representantes da Soberania na Terra, o direito divino de reinar era concedido aos reis celtas, e a honra de seus reinados era misticamente associada às deusas da Terra.

Esperava-se que o rei conduzisse seu povo e fosse fiel a ele. Em compensação, sua Soberania lhe ofereceria os poderes e a sabedoria do Outro Mundo. Nas cerimônias irlandesas de coroação, o Soberano do reino era representado por uma égua branca. Na lenda arthuriana, ele era representado pela forma tríplice de Guinevere. O nome galês *Gwenhwyfar* significa "Fantasma Branco" e reflete as qualidades lunares da Soberania.

Nessas lendas, a Soberania aparece na forma de várias mulheres, cada uma sustentando uma qualidade lunar e manifestando um aspecto da Terra e da Divindade Feminina. A Soberania se manifesta no papel da virgem receptiva, da bondosa rainha, da misteriosa Donzela ou Donzela negra e da bruxa velha e feia. Essas mulheres aparecem a reis e heróis, oferecendo-lhes dons e ensinamentos e propondo-lhes desafios, os quais lhes permitirão vencer a causa necessária para o reino.

A Donzela Brilhante, cuja cor é o branco, é retratada como fonte de visão, uma iniciadora da ação. Um papel similar pode ser encontrado nas histórias folclóricas, nas quais donzelas precisam ser resgatadas de dragões, monstros ou bruxas más. Ainda hoje esse tema é encontrado em livros e filmes. Guinevere, primeiramente, assumiu o papel da linda Noiva das Flores, a fonte da soberania de Arthur, mas, ao ser abandonada pelo rei, ela tornou-se a visão da Soberania para Lancelot.

Nas primeiras histórias, Guinevere era apresentada como rainha, a mulher que regia a corte e mantinha a posição de poder de Arthur. A poderosa e influente rainha, cuja cor era o vermelho, era com frequência retratada como aquela que permitia que o herói cumprisse seu desafio ou que o apoiava em sua busca. Igraine, a mãe de Arthur, também demonstrou mudanças em seu aspecto de Soberania: quando seu papel como rainha temporária terminou, ela retirou-se para o Outro Mundo, no qual mantinha seu poder como a Rainha do Castelo das Donzelas.

A Donzela Escura entra na lenda a fim de desafiar o herói, forçando-o na direção do autoconhecimento e do comportamento responsável. Nos mitos arthurianos, ela aparece como a Feiticeira Kundry, que reprova Peredur por não formular a Pergunta do Graal e incita à ação os cavaleiros que buscam o Graal, após repreendê-los por sua apatia. Ela é retratada com uma língua cruel, que testa e atormenta os cavaleiros.

A Feiticeira Morgana também refletia o aspecto da Donzela Escura em seu antagonismo com relação ao Rei Arthur e no constante questionamento de seu valor como rei. A Donzela Escura podia ainda ser representada como a mulher guerreira, cujo papel de companhia era ensinar e transformar a forma de pensar do herói. Ela detinha o poder da magia e da escuridão, mas também representava o dinamismo da Donzela.

Da mesma forma, a Bruxa Anciã aparecia como uma figura da escuridão, mas era vista como a guardiã do conhecimento oculto e da transformação. Com frequência, ela aparecia como uma mulher de aspecto velho e feio e era transformada, por meio da ação correta do herói, numa jovem e linda Donzela, a exemplo da história de *Sir Gawain e a Dama Abominável*.

Esses aspectos da Soberania refletem o ciclo da Lua. Assim como a Lua, os aspectos da Donzela Brilhante, da Mãe, da Donzela Escura e da Bruxa Anciã não eram fixos, eram vistos como dinâmicos, transformando-se entre si. Soberania, como a Deusa da Terra, refletia na natureza da Terra a florescente energia da primavera, a generosidade do verão, o retiro do outono e a escuridão do inverno, em que a beleza manifesta da Terra era escondida. No entanto, ela também demonstrava esse ciclo em suas representantes terrenas, por meio do ciclo menstrual das mulheres.

Como acontece com a Lua e as estações, uma mulher também flui de um aspecto do ciclo para outro, mudando e se transformando em sintonia com sua natureza. Soberania, sendo a própria Terra, inspira a humanidade, oferece-lhe sua generosidade, reprova sua inação e suas ações erradas e transforma a nossa maneira de ser.

A Soberania também pode aparecer em histórias e mitos como a "mulher ideal", cuja aparência reflete as três cores lunares: o branco da pele, o negro dos cabelos e o vermelho dos lábios, equilibrando todas as cores e seus simbolismos dentro de si. Ela conhece a si mesma e é fiel à própria natureza. Numa das versões da história de Gawain, a resposta à pergunta do Cavaleiro Negro era: o que a mulher mais quer é ter "soberania". Nesse contexto, isso teria um significado ainda mais profundo do que "ser do jeito que é", a resposta apresentada em outras versões.

As lendas arthurianas demonstram não só os diferentes aspectos da Soberania, mas também as interações entre as mulheres e a Soberania e entre os homens e a Soberania. Para as mulheres, a busca pelo Santo Graal – o cálice da Soberania – está em sua própria experiência e identificação com cada um dos aspectos da Soberania dentro delas mesmas e de seus ciclos. Para os homens, no entanto, apenas quem é justo, honesto, confiável e amoroso pode exercer o reinado sobre a Terra como representante ou parceiro da Soberania e, em troca disso, ela será sua fonte de inspiração e poder, sua guia e mestra. Uma mulher comum também pode oferecer os mesmos presentes a um homem, mas somente se ele reconhece a soberania dentro dela e lhe permite ser fiel à sua própria natureza soberana. *Soberania requer liberdade para ser ela mesma*, e essa liberdade precisa ser oferecida por outras mulheres, assim como pelos homens. O amor e a confiança que um homem oferece a uma mulher, ao lhe permitir sua soberania, são recompensados com as dádivas da própria soberania dela.

AS XAMÃS E SACERDOTISAS

Uma mulher que se torna consciente do seu ciclo e das suas energias adquire também a consciência de um nível de vida além do visível. Ela desenvolve uma ligação intuitiva com as energias da vida, do nascimento e da morte, e percebe a Divindade na própria Terra e dentro dela mesma. Partindo dessa consciência, a mulher interage não apenas com os aspectos visíveis e mundanos, mas também com os aspectos invisíveis e espirituais da sua vida.

Foi por meio de um estado alterado de consciência, que para elas ocorria mensalmente, que as xamãs/curandeiras, ou posteriormente as sacerdotisas, trouxeram suas energias, seus *insights* e suas conexões com a Divindade ao mundo manifesto e à sua comunidade. Cura, magia, profecia, inspiração, ensinamentos e sobrevivência, tudo isso veio da capacidade de sentir os dois mundos, de viajar entre eles e de levar as experiências de um para o outro. A crescente dominação masculina na sociedade e na religião levou ao declínio do *status* da xamã e da sacerdotisa, até que os homens por fim ocuparam as posições e papéis delas de forma definitiva. O papel de sacerdotisa foi reprimido com tamanha amplitude e intensidade na sociedade ocidental que a posição ativa das mulheres nas religiões organizadas desapareceu por completo. Com uma posição menos valorizada, as mulheres sábias ou bruxas se mantiveram na clandestinidade e se tornaram o último elo de ligação com as religiões matriarcais antigas. A bruxa da comunidade tinha o conhecimento da magia da natureza, da cura e dos relacionamentos e era capaz de interagir com seu ciclo menstrual, as estações e seu eu interior intuitivo. Ela oferecia ajuda e orientação nas passagens da vida e da morte, proporcionava iniciação e transformação por meio de ritos de passagem e levava a ritos de êxtase que possibilitavam conexão, fertilidade e inspiração a seu povo.

As bruxas da comunidade ofereciam o equilíbrio entre a consciência feminina e as energias de dominação masculina da sociedade e da religião. Infelizmente, esses poderes femininos eram vistos como uma ameaça às estruturas masculinas, e as perseguições às bruxas medievais quase destruíram as tradições das bruxas e das mulheres sábias. Ao atacar as bruxas, os perseguidores perceberam que essas mulheres tinham poder, mas esse mesmo poder foi negado mais tarde, levando o *status* da bruxaria à sua quase total destruição. A bruxa tornou-se objeto de ridicularização, retratada em livros infantis e nas festas de Halloween como uma figura cômica. As primeiras penas impostas às bruxas ao serem pegas e a tardia doutrinação pelo medo e a vergonha impediram que as mulheres expressassem suas capacidades e necessidades, que teriam despertado outra vez as tradições femininas. Os efeitos diretos das perseguições às bruxas são sentidos ainda hoje e evidenciados pela falta de um ensino formal na sociedade com o qual se reconheça a natureza cíclica feminina e suas energias, o que ocasionou a falta de orientação sobre o seu uso.

A negação da experiência ativa de sua própria espiritualidade fez com que as mulheres aceitassem uma religião de estrutura e dominação masculina, sem ter ideia alguma de qual seria sua espiritualidade inata. Para se tornar consciente dessa espiritualidade, uma mulher necessitaria permanecer fora da religião masculina e da maioria das comunidades religiosas – algo muito difícil se ela tivesse crescido numa religião masculina, sem nenhum conceito do que poderia existir "fora" dali, e também muito assustadora devido à ausência de tradição e orientação. A destruição da espiritualidade de orientação feminina é relativamente recente na história da humanidade, mas ela foi tão ampla e profunda que apenas alguns resquícios permaneceram no folclore ocidental, na arqueologia, nos mitos e lendas e na necessidade que as mulheres ainda sentem dentro de si.

Com a elevação do *status* da mulher no século XX, houve uma necessidade crescente de expressar sua espiritualidade feminina de uma forma reconhecida. Sob pressão feminina, algumas igrejas cristãs aceitaram mulheres no sacerdócio, mas, ainda que isso evidenciasse as mulheres como pessoas espiritualmente conscientes, sua feminilidade lhes era negada. O uso de um termo que designava o feminino do sacerdote*, em vez de "sacerdotisa", fez da mulher um homem "honorário", ignorando sua natureza feminina e os poderes que ela incorporava. Uma mulher não pode ser um sacerdote devido à sua natureza feminina, mas é justamente sua feminilidade e sexualidade que a conectam à consciência divina e aos ritmos da vida e do universo. O sacerdócio oferece às mulheres um papel espiritual reconhecido, mas não lhes confere nada além disso. A habilidade de serem "seres espirituais" é inerente à natureza e ao corpo das mulheres.

O dom que a sacerdotisa, mulher sábia, xamã ou bruxa possui de mediar os poderes da Divindade é inerente a todas as mulheres e vem da consciência que a mulher tem de si mesma. Tornar-se uma sacerdotisa é fazer uma busca interior. A imagem de uma mulher segurando um cálice tem um significado diferente da de um homem, seja isso reconhecido de forma consciente ou subconsciente: talvez seja esse o fato que assuste os homens e os leve a pensar que as mulheres "tomariam" sua religião. É necessário despertar ambas as imagens, que deveriam ser equilibradas e compatíveis, cada uma aceita em seu próprio direito. O mito do masculino e o mito do feminino não são os mesmos, nem são separados. Eles estão entrelaçados, tecidos juntos em equilíbrio e harmonia.

No passado, a natureza lunar das mulheres era reconhecida como uma indicação da conexão entre as mulheres e o universo. Por meio do seu corpo, a mulher vivenciava, intuitivamente, a interconexão de toda a vida, a ausência de distinção entre a Divindade e a criação e o ciclo de vida, morte e renascimento. No agitado mundo cotidiano moderno, essas

---

* Em inglês, *female priest* ["sacerdote do sexo feminino"], termo usado na tradição da Igreja Protestante inglesa. (N.T.)

percepções nos faltam e são dificilmente compreendidas, a não ser que sejam experimentadas por meio do próprio corpo, no caso das mulheres, ou por meio de uma mulher, no caso dos homens. Na cultura social predominante não há lugar para danças extáticas, expressas espiritualmente por meio da sexualidade e do corpo, ou para um retiro interior que traga a voz da profecia ou do oráculo. Ainda que muitas mulheres tenham se tornado conscientes de sua natureza cíclica, explorando as energias de seus ciclos e de sua espiritualidade e compartilhando seu conhecimento por meio de cursos, livros e trabalhos artísticos, a maior parte da sociedade ainda está apartada dos poderes da feminilidade – os poderes da inspiração e da empatia que trazem crescimento e compreensão, o fim do medo da morte e a unidade entre mente, corpo, criação e Divindade.

À medida que o feminino "invade" o mundo masculino, o avanço das mulheres tem sido sobretudo intelectual, vazio da compreensão intuitiva e da criatividade que são a base de sua natureza. Não há arquétipos ou tradições que orientem as mulheres em suas necessidades e capacidades nessas áreas novas e modernas de trabalho e experiência. Por isso é de vital importância que as mulheres preencham esse vazio, que levem a consciência de sua natureza cíclica a seus locais de trabalho e à comunidade em geral, ajudando a sociedade a vê-la como uma força positiva e empoderadora em todos os níveis – no trabalho, nos negócios, na família, nas relações, na educação, na medicina, ao estabelecer seus objetivos e fomentar seu crescimento pessoal. Dessa forma, estarão contribuindo para criar diretrizes, abordagens e novas tradições a serem seguidas pelas mulheres.

O desenvolvimento da compreensão em cada mulher, individualmente, é muito importante, assim como sua orientação na passagem da infância para a idade adulta. A sociedade moderna perdeu muitos de seus ritos de passagem, por isso é preciso reativar os ritos de iniciação na puberdade, os ritos das estações e os ritos lunares, além dos ritos de transformação na morte e no nascimento, a fim de que a sociedade reaprenda os ensinamentos do ciclo menstrual. As mulheres estão começando a escrever novas histórias e novos mitos, estão criando novas canções e novos arquétipos, e precisamos de mais mulheres fazendo isso se quisermos restabelecer a tradição feminina. "O Despertar" reconecta as mulheres à sua natureza completa e oferece essa consciência às gerações futuras, na esperança de que ela não mais seja perdida. Além disso, o mais importante é que essa consciência cria um lugar na sociedade para a xamã, a mulher sábia, a sacerdotisa oracular, a bruxa e a curandeira ou benzedeira.

Em "O Despertar", Eva conscientiza-se de que pertence a dois mundos e tem a capacidade de caminhar entre eles. Carregando o véu vermelho da menstruação, ela detém em si os poderes da natureza e da Divindade Feminina. Essa responsabilidade acompanha seu despertar na percepção de sua verdadeira natureza. Para as mulheres modernas que não têm o entendimento do seu ciclo, a desculpa do ciclo menstrual para problemas comportamentais parece válida. Mas mesmo as que têm o entendimento de seus ciclos são incapazes de aceitar a responsabilidade total disso, porque a sociedade não lhes permite expressar sua verdadeira natureza.

QUATRO

Ao Encontro da Lua

O CICLO MENSTRUAL

Para a maioria das meninas, a primeira menstruação acontece por volta dos 12 anos, e o ciclo estabelecido conta com aproximadamente 28 dias, ainda que sua duração possa variar de 14 a 30 dias, ou mais. Esse ciclo se tornará parte da vida da mulher até mais ou menos os 47 anos de idade, a menos que ela engravide ou perca seu ciclo devido a fatores fisiológicos.

A cada mês, o corpo feminino atravessa uma série de mudanças, e muitas ocorrem sem que a mulher tenha consciência. Essas mudanças podem incluir variações no equilíbrio hormonal, na temperatura vaginal, na composição e na quantidade de urina, no peso corporal, na concentração de vitaminas, na retenção de líquidos, no batimento cardíaco, no tamanho e na consistência dos seios, na consistência do fluido vaginal, nos níveis de concentração, na visão e na audição, nas capacidades físicas, na tolerância para a dor e muitas outras. É importante que cada mulher tenha consciência de como seu corpo reage a seu próprio ciclo caso queira entender o efeito dele em sua personalidade e em suas energias criativas.

O ciclo físico mensal consiste em quatro fases: pré-ovulatória, ovulatória, pré-menstrual e menstrual. Dentro de cada ovário existem grupos de células chamadas folículos, onde ficam óvulos imaturos. Durante a fase *pré-ovulatória*, um folículo amadurece, produzindo o hormônio estrogênio, que estimula os seios e as paredes uterinas. Considerando um ciclo de 28 dias, o folículo se romperá aproximadamente entre o 14º e o 16º dia do ciclo*, liberando o óvulo; essa é a *fase ovulatória*. Algumas mulheres percebem certos sintomas físicos durante a ovulação; eles podem incluir dor na região pélvica, sangramento ou corrimento em meio ao ciclo, aumento na sensibilidade dos seios ou desejos de comer algumas coisas. Após a ovulação, o folículo se torna um "corpo lúteo" e produz progesterona e estrógeno. A progesterona prepara as paredes uterinas para a fertilização.

Se a fertilização não ocorre, o corpo lúteo aos poucos se degenera e os níveis de progesterona e estrógeno caem: essa é a *fase pré-menstrual*. O revestimento do útero começa, por fim, a se desintegrar e dá início ao sangramento da *fase menstrual*.

Existe uma grande diversidade nos sintomas físicos e emocionais da fase pré-menstrual, e cada um deles pode afetar as mulheres em diferentes níveis. Alguns dos mais comuns

---

* Para falar sobre o ciclo menstrual, precisamos fazer algumas generalizações, que nos ajudarão a compreender nossa natureza cíclica. Partindo então desse conhecimento, poderemos explorar a singularidade do nosso próprio ciclo. Se seu ciclo é mais longo ou mais curto que um ciclo médio de 28 dias, suas fases poderão começar ou terminar em dias diferentes dos mencionados, bem como seus dias de ovulação.

são: dor nas costas, desmaios, enxaqueca, desejos por açúcar e carboidratos, sensibilidade nos seios, cistite, cólicas, retenção de líquidos, fadiga, falta de concentração, alergias, irritabilidade, mudanças de humor, hostilidade e depressão. A grande maioria das mulheres na fase menstrual experimenta sintomas pré-menstruais em algum nível.

Há muitas formas de aliviar esses sintomas físicos, que podem ir desde o uso de vitaminas e minerais na dieta até massagem e aromaterapia, mas nenhum desses métodos utiliza a conexão subconsciente que a mulher já tem com seu útero. Os métodos físicos tendem a tratar a condição menstrual como uma doença do corpo, separada da mente. Se uma mulher aprende a compreender seu ciclo, a aceitar suas mudanças e a tornar-se fiel à sua própria natureza, ela pode obter o equilíbrio de seu ciclo.

Isso não significa que uma mulher não deva utilizar qualquer método que possa aliviar os sintomas físicos, significa que ela precisa parar de lutar contra esses sintomas e aceitá-los como uma coisa natural. Isso não é fácil quando você está na "fossa" da sua baixa pré-menstrual ou quando está se contorcendo com as dores do sangramento! Ainda que as mudanças físicas do ciclo menstrual sejam mais amplamente reconhecidas na sociedade, as mudanças interiores na sexualidade, na espiritualidade e na criatividade ainda são ignoradas pela maioria.

Como já foi discutido, o ciclo menstrual e o ciclo da Lua estão profundamente interligados, e o corpo da mulher reflete as fases da Lua. Entretanto, o ciclo da Lua não é apenas o calendário do corpo feminino, ele pode também afetar o ciclo da mulher.

O ciclo sinódico médio da Lua é de 29 dias, 12 horas e 44 minutos. Na fase escura, a face brilhante da Lua está voltada para o lado contrário da Terra e, após alguns dias, a Lua crescente se torna visível. O quarto crescente aumenta de maneira gradual até que a Lua esteja cheia pela metade e seja visível no zênite, quando o Sol se põe. Então, a Lua cresce em luminosidade até ficar totalmente cheia e, nesse ponto, ela nasce quando o Sol se põe. Após ficar cheia, a luz da Lua vai diminuindo até que o Sol e a Lua nasçam juntos.

Muitas mulheres interagem com o ciclo lunar num desses dois modos: sua menstruação coincide com a Lua quando ela está na fase cheia ou escura – segundo uma observação feita em *The Wise Wound*, de Penelope Shuttle e Peter Redgrove. O ciclo da mulher pode não ser exatamente o mesmo da Lua, mas ele pode aumentar ou diminuir, de modo que a menstruação ocorra por volta da Lua cheia ou da Lua escura de cada mês.

Exercício

No Capítulo 1, você conheceu as fases relevantes da Lua para seu registro diário. Agora, comece a perceber as fases atuais da Lua e sua posição no céu. Se possível, tente ficar ao ar livre e notar como a luz de cada uma das fases influencia o modo como você se sente emocional e intuitivamente. Tente imaginar as energias femininas em cada fase; elas podem tomar a forma de antigas deusas, de mulheres que você vê como arquétipos de cada fase ou de canções, animais, estações ou padrões abstratos.

Para compreender melhor as mudanças que ocorrem em sua criatividade, as energias das quatro fases da menstruação e da lunação precisam ser observadas. De qualquer forma, antes de tudo é importante que a informação que você tenha coletado a cada mês seja organizada de modo que você possa utilizá-la na identificação de seus padrões.

A MANDALA LUNAR

Depois de coletar informação sobre seu próprio ciclo por alguns meses e ter uma boa quantidade de registros, é provável que fique mais trabalhoso e difícil ordenar essa informação. A Mandala Lunar é um instrumento simples que lhe permite comparar as descobertas de cada mês e organizá-las de modo a obter um guia de seu próprio ciclo menstrual. O conceito da Mandala Lunar foi adaptado de uma ideia originalmente proposta por Penelope Shuttle e Peter Redgrove no livro *The Wise Wound*.

Após seu primeiro ciclo, desenhe um grande círculo numa folha de papel. Divida a circunferência pelo número de dias do seu ciclo, desenhando linhas conforme a Figura 1. Fora do círculo, marque as datas do calendário, e dentro dele, enumere os dias do seu ciclo. Também marque as diferentes fases da Lua, de acordo com o calendário (Figura 1).

Consulte os seus registros sobre cada dia do ciclo e inclua detalhes como os mostrados a seguir (se houver registros sobre eles), anotando-os ao lado do número correspondente a cada dia do seu ciclo:

1. **Nível de energia** – dinâmica, sociável, retraída, pouca energia.
2. **Emoções** – tranquila, equilibrada, irada, irritada, amorosa, generosa, maternal, intuitiva, psíquica.

3. **Saúde** – cansaço, qualidade do sono, desejos por comida, mudanças físicas.
4. **Sexualidade** – ativa, passiva, erótica, sensual, exigente, agressiva, sem desejo, amorosa, carinhosa, libidinosa.
5. **Sonhos** – relações sexuais, interação com homens e mulheres, ocorrência de cores fortes, animais, conteúdo menstrual e mágico, sonhos vívidos, sonhos premonitórios e sonhos recorrentes.
6. **Expressão exterior** – criatividade, esportes ou exercícios, confiança, capacidade de organização, concentração, capacidade de superação, jeito de se vestir.

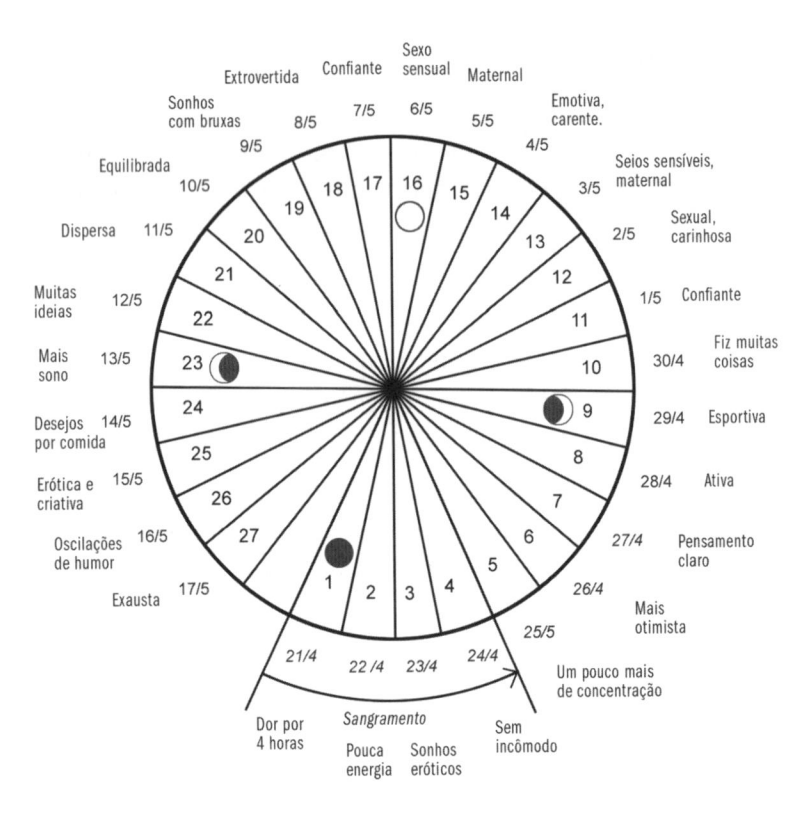

Figura 1. A Mandala Lunar

O resultado será um diagrama bem confuso, mas talvez você possa simplificá-lo agrupando dias parecidos. Faça a mesma coisa com as anotações do seu diário, observando vários ciclos, e você começará a ver alguns padrões surgirem. As correspondências não serão exatas, mas será possível perceber, em certos dias do mês, energias ou mudanças físicas parecidas, e temas recorrentes em seus sonhos por volta da menstruação ou da ovulação. Sintetize essas correspondências numa única Mandala Lunar. Se você achar difícil encontrar correspondências entre as Mandalas, continue fazendo anotações por mais alguns meses. A seção "A Mandala Lunar e a Vida Cotidiana", neste mesmo capítulo, pode ajudá-la a saber o que procurar.

As anotações do seu diário e as Mandalas Lunares seguintes serão um projeto contínuo que a manterá em contato com seu ciclo no decorrer dos anos. Você vai perceber que, depois de algum tempo, passará a conhecer tão bem as suas reações a seu ciclo que só precisará anotar alguma ocorrência inabitual, o que poderia sugerir uma mudança no ciclo. No decorrer dos meses, você notará similaridades nos momentos dos ciclos marcados por mudanças físicas, assim como perceberá que determinadas energias emocionais, criativas e sexuais são recorrentes em algumas fases.

Na mitologia e nas lendas, as energias sentidas pela mulher durante o mês, em seu ciclo menstrual, eram vistas como um ritmo de quatro fases, que refletiam as fases da Lua. No ciclo menstrual, a Donzela e a Lua crescente representam a fase que vai desde o fim do sangramento até a ovulação. As energias dessa fase são parecidas com as de uma jovem donzela solteira: geradoras, dinâmicas e inspiradoras.

A Mãe e a Lua cheia representam o período após a ovulação. As energias da maternidade e da fase da Mãe também são similares e contêm a habilidade de nutrir, sustentar e empoderar. As energias criativas interiores da Mãe surgem para criar nova vida.

O retraimento da luz da Lua, na fase gradativamente mais escura da Lua minguante, reflete o retraimento da energia física na passagem da ovulação para a menstruação. Nessa fase, a sexualidade, a criatividade e a magia se intensificam na mulher, assim como suas forças interiores destrutivas e sua percepção. Em *Lua Vermelha*, o termo "feiticeira" foi escolhido para nomear essa fase, porque ele pode se referir a uma mulher de qualquer idade menstrual, com o poder da magia e de seu próprio sexo para criar ou destruir. A imagem de Merlin capturado numa armadilha e enterrado após ter seu conhecimento mágico roubado por Nimue, uma feiticeira linda e atraente, reflete muito bem o poder da Feiticeira. Na fase da Feiticeira, as energias criativas que poderiam ter sido destinadas à geração de uma criança são liberadas e tomam forma no mundo.

A Lua escura e a sombria Bruxa Anciã representam a fase da menstruação. A Bruxa Anciã reflete o retraimento das energias físicas do mundo exterior e a introversão para o mundo interior do espírito. Na fase menstrual da Bruxa Anciã, as energias criativas interiores são gestadas na mente, para produzir nova vida e ideias-filhas.

As fases crescente e minguante são *Fases de Mudança*, e as fases da Lua cheia e da escura são *Fases de Equilíbrio*. Na mulher, as *Fases de Mudança* são as da Donzela e da Feiticeira, e as *Fases de Equilíbrio* são as da Mãe e da Bruxa Anciã.

A fase da Donzela é a ascensão à luz, o aspecto de manifestação exterior da natureza da mulher, e a fase da Feiticeira é a descida da natureza exterior à escuridão, ao não manifesto, ao aspecto interior. A fase da Mãe equilibra a expressão da energia para o exterior, com a expressão interior do amor, e a Bruxa Anciã equilibra a calma do mundo interior com a gestação de um novo ciclo (Figura 2). Ainda que o diagrama seja desenhado em partes iguais, na Mandala Lunar de cada mulher talvez as fases se pareçam mais com as da Figura 3.

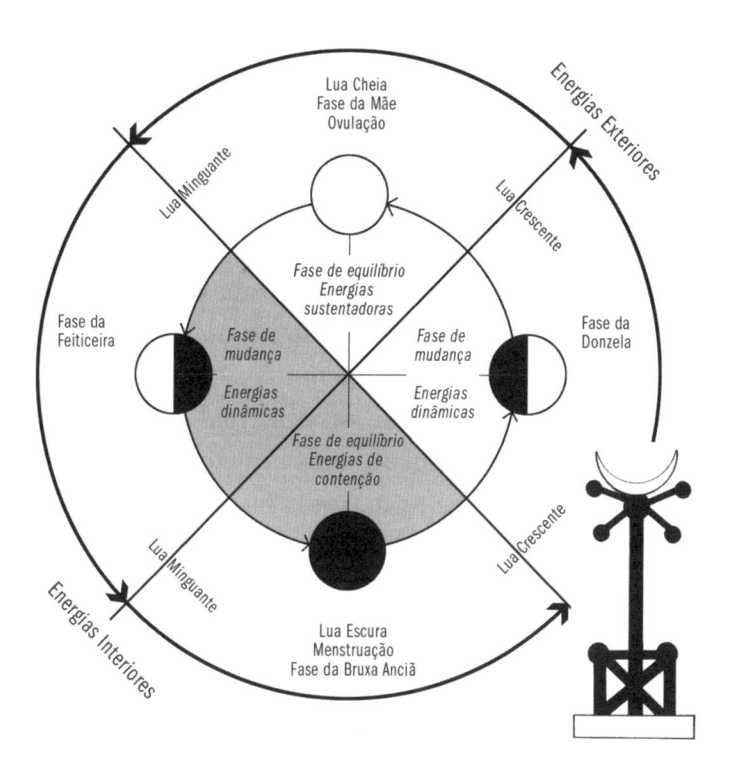

Figura 2. O Ciclo da Lua Branca

Ainda que o ciclo seja dividido em quatro fases, a demarcação entre elas não é rígida; em vez disso, cada fase se funde naturalmente com a próxima, no fluxo de energia do ciclo menstrual. Essa ideia era expressa nos contos folclóricos, nos quais, de forma mágica, as mulheres se transformavam em animais; as velhas, em Donzelas; as Donzelas, em mulheres; e as mulheres, em vampiros. O aspecto quádruplo do ritmo lunar é a imagem mais simples do ciclo menstrual, mas algumas mulheres poderão descobrir que seu ciclo se expressa num padrão mais complicado.

As energias da Donzela

As energias da Donzela são dinâmicas e radiantes. A fase da Donzela é o momento em que a mulher está livre do ciclo de procriação e pertence apenas a si mesma. A mulher se torna autoconfiante, sociável e capaz de superar todas as dificuldades mundanas da vida. Ela tem mais determinação, ambição e concentração e pode, assim, realizar mais em seu trabalho. É tempo de iniciar novos projetos. Sua sexualidade é nova e fresca e, dessa forma, essa fase se torna o momento de desfrutar e se divertir. Toda a sua aparência expressa entusiasmo pelo mundo ao redor e por poder vivenciá-lo de maneira plena!

As energias da Mãe

As energias da Mãe aparecem no momento da ovulação e também são radiantes, mas têm uma frequência diferente das energias da Donzela. A fase da Mãe é aquela na qual você perde o senso de "eu", ao se preparar para a abnegação que caracteriza a Mãe. As necessidades e os desejos próprios de uma mulher se tornam menos importantes para ela, que se torna mais cuidadosa e irradia amor e harmonia. Sua sexualidade floresce numa experiência de profundo amor e partilha. Ela é capaz de assumir responsabilidade, de criar produtivamente e de apoiar e fomentar os projetos e as ideias existentes. Ela pode perceber que se tornou um ímã para as pessoas, que a procurarão a fim de pedir ajuda e apoio.

As energias da Feiticeira

As energias da Feiticeira surgem quando um óvulo liberado não é fecundado. A mulher começa a vivenciar o lado interior da sua natureza e passa a ficar mais consciente dos mistérios subjacentes a ela. Sua sexualidade se torna poderosa e ela se conscientiza de sua própria magia e poder, e do efeito que eles podem ter sobre os homens. As energias se tornam impetuosas e, quando liberadas, podem se manifestar numa criatividade grandiosa e sem limites. À medida que a fase da Bruxa Anciã se aproxima, talvez a mulher sinta que a concentração diminui, e ela pode ficar cada vez mais intolerante com o mundo cotidiano. Por outro lado, sua capacidade de sonhar aumenta, sua intuição se fortalece e seus *insights* e sua inspiração podem ser mais vibrantes e compulsivos.

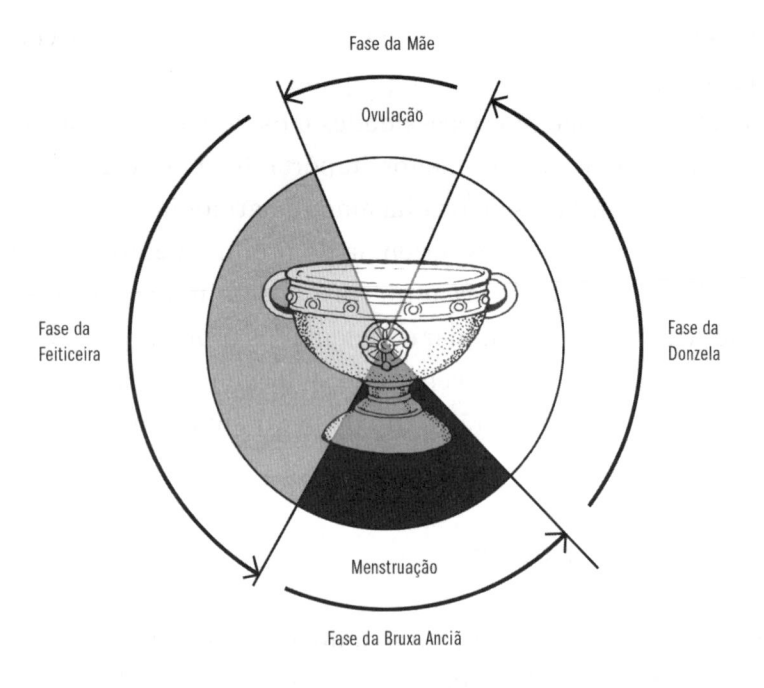

Figura 3. Exemplo de um Ciclo Feminino

As energias da Bruxa Anciã

As energias da Bruxa Anciã são vivenciadas na menstruação, como um aprofundamento do estado de consciência interior da fase da Feiticeira. As energias se tornam acolhedoras e intuitivas, não mais necessitando de uma expressão exterior, exceto de maneira ocasional, quando emergem estados ou visões de graça. A mulher interage mais com seus sonhos, sente-se parte da natureza e, intuitivamente, reconhece os padrões fundamentais inerentes a ela.

A fase da Bruxa Anciã é um tempo de introspecção, em que a mulher se afasta do mundo cotidiano, para dormir e sonhar, expressar a magia com gentileza e diminuir o ritmo da vida. É um momento de procurar respostas para problemas e de aprender a aceitar o passado e a incerteza do futuro. A mulher fica aberta aos antigos instintos e às energias primordiais. Sua sexualidade floresce como na Lua cheia, mas, em vez de trazer suas energias ao mundo físico, ela eleva sua espiritualidade.

A todo momento, *a mulher sustenta ambas as energias, as escuras e as luminosas, dentro de si.* Não há divisões fixas entre cada fase, cada uma é um fluxo gradual de uma energia para a outra. Como Donzela e Feiticeira, a mulher contém a luz e a escuridão em doses variáveis, e, como Mãe ou Bruxa Anciã, guarda dentro de si a semente da menstruação ou da ovulação. Com a liberação de um óvulo na fase da Mãe, o processo rumo à menstruação começa; com a liberação do revestimento do útero na fase da Bruxa Anciã, o amadurecimento do próximo óvulo tem início. O germe de luz dentro da escuridão e o germe de escuridão dentro da luz podem ser vistos na imagem do Yin Yang como um fluxo de energia de um para o outro (Figura 4).

Talvez você descubra que é possível subdividir ainda mais a mandala das energias do seu ciclo. Ao identificar cada fase dentro de si e dar a ela algum tipo de símbolo com o qual você consiga se relacionar, será possível começar a aceitar todos os aspectos de sua natureza e voltar a despertá-los.

Figura 4. Símbolo do Yin Yang

CICLO DA LUA BRANCA E CICLO DA LUA VERMELHA

De modo geral, a menstruação das mulheres ocorre perto da Lua cheia ou da Lua escura. A ovulação com a Lua cheia corresponde ao Ciclo da Lua Branca, celebrado na maioria dos rituais e festivais religiosos. O poder fértil de uma mulher e da Lua cheia coincidem, oferecendo as melhores condições para que ela expresse suas energias criativas na concepção. O Ciclo da Lua Branca tornou-se o ciclo da "boa mãe", o único aspecto da feminilidade aceitável na sociedade patriarcal.

Menos aceitável era o ciclo cuja ovulação coincidia com a Lua escura. Ao se erguer na atmosfera densa do horizonte, muitas vezes a Lua cheia aparece manchada de um vermelho sangue; o Ciclo da Lua Vermelha ocorre quando a menstruação coincide com a Lua cheia. O ciclo pessoal da mulher continuará a percorrer as fases da Donzela, da Mãe, da Feiticeira e da Bruxa Anciã, mas elas estarão deslocadas em relação às fases da Lua em cerca de 180° (Figura 5). A ovulação ocorrerá na escuridão da Lua e as energias criativas da Feiticeira serão liberadas na luz crescente da Lua.

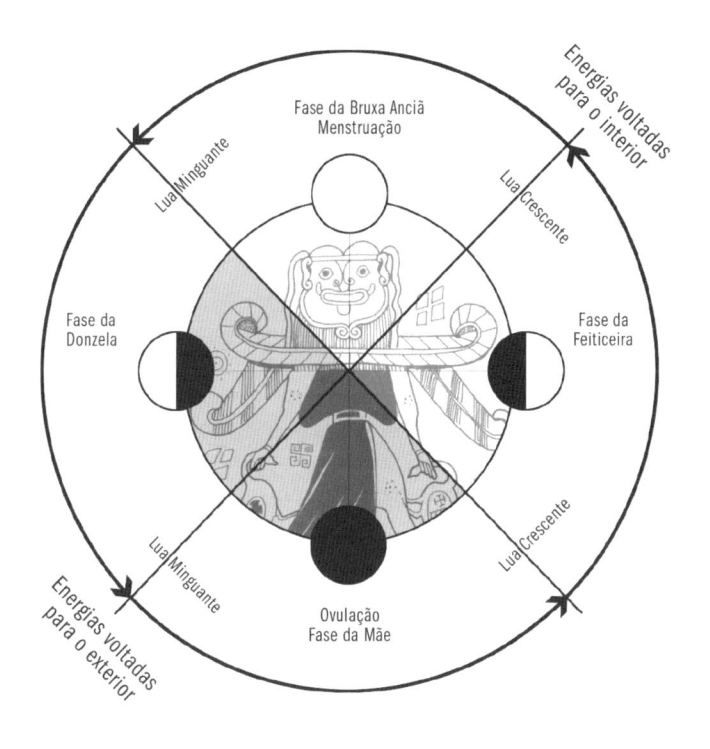

Figura 5. O Ciclo da Lua Vermelha

O Ciclo da Lua Vermelha avança na direção contrária à expressão das energias para a procriação e o mundo material, ou seja, em direção ao desenvolvimento interior e de suas expressões. Como esse ciclo era visto pelos homens como mais poderoso e menos controlável, ele se tornou o ciclo da "mulher diabólica", a sedutora, a mulher sábia ou bruxa feia, cuja sexualidade não era canalizada para formar a próxima geração.

As mulheres que viviam no ritmo do Ciclo da Lua Vermelha eram excluídas dos ritos de Lua cheia e das celebrações das mulheres que ovulavam. Elas eram a lembrança da metade escura da Lua cheia brilhante.

Ambos os ciclos são expressões das energias femininas, e nenhum deles é mais poderoso ou correto do que outro. Você poderá descobrir que, ao longo da vida, seus ciclos passam por mudanças, transitando entre o Ciclo da Lua Branca e o Ciclo da Lua Vermelha, de acordo com suas circunstâncias, ambições, objetivos e emoções.

Exercício

Consulte a sua Mandala Lunar e veja em quais momentos do seu ciclo você nota a manifestação de diferentes energias. A princípio, talvez só tome consciência de algumas energias, em determinados momentos. As energias ainda estão dentro de você, mas influências externas como o estresse e a exaustão, assim como a interrupção de uma conexão intuitiva entre você, seu corpo e sua mente, podem fazer com que seja difícil ter consciência delas. Use quatro lápis de cor para colorir os dias em que você percebe essas energias. No decorrer dos meses, à medida que aumenta a consciência do seu ciclo, você será capaz de produzir uma Mandala Lunar colorida, que se tornará uma chave para o seu ciclo menstrual.

EM DIREÇÃO À AUTOCONSCIÊNCIA

O sangramento menstrual é um dos temas mais tabus da sociedade moderna, e pode ser bem constrangedor para uma mulher quando fica evidente para as outras pessoas que ela está nesse período. É importante avaliar a própria reação ao seu sangramento mensal e descobrir por que você se sente dessa forma. Como se sente quando seu sangue mancha suas roupas? Você toca seu próprio sangue? Como você se sente se seu parceiro vê seu sangue? Você usa absorventes internos e, ainda que menstruada, espera viver exatamente como no restante do mês? Você sabe quando as mulheres próximas a você menstruam e conhece os ciclos delas?

    A pergunta a ser feita é: quantas mulheres têm realmente consciência de que seu sangramento é algo além de uma função mensal que incomoda, tumultua e atrapalha nosso dia a dia? Hoje em dia, uma grande porcentagem da população feminina usa alguma forma de tampão todos os meses, o que permite a essas mulheres levar uma vida "normalmente ativa" no período do sangramento. Elas continuam a fazer natação, exercícios e outras atividades físicas sem se preocupar com manchas e incômodos invisíveis sob as roupas. O absorvente interno trouxe uma liberdade de movimentos que não era possível com os absorventes externos, mas também diminuiu a atenção ao sangramento em si. A menos que seja forçada a tomar consciência de seu ciclo por meio da síndrome pré-menstrual ou de dores e cólicas, você pode se manter desconectada do seu sangramento e permanecer desatenta a ele até precisar trocar o tampão.

    O estigma social agregado ao sangramento da mulher é de que ele é incontrolável. Se uma mulher sangra livremente, ela tem consciência de que não pode impedir isso de acontecer. Trata-se de algo tão inevitável quanto as energias associadas à menstruação. O que deveria ser um símbolo natural da beleza do ciclo feminino tornou-se um estigma que faz a sociedade se lembrar da natureza incontrolável e irrestrita da mulher. O uso de absorventes internos bloqueia mentalmente a evidência da menstruação e até mesmo a aceitação da mulher com relação a esse fenômeno.

Não estamos sugerindo que os tampões não devam ser usados, se esse for o desejo da mulher; entretanto, reservar um momento para ficar sem o tampão permite que a mulher se torne consciente das sensações do seu sangramento, o que lhe dá a oportunidade de aceitá-lo e de trazer essa consciência à sua vida cotidiana.

Exercício

Se você costuma usar tampões, passe a reservar um tempo para vivenciar seu sangramento. Use absorventes externos ou faça seu próprio absorvente com tecidos ou lenços de algodão. Também é a oportunidade de utilizar produtos recicláveis e sem substâncias químicas, se desejar. Por razões práticas, você pode preferir fazer isso apenas quando não estiver trabalhando ou correndo de um lado para o outro. Isso talvez porque você sinta muito o efeito do sangramento no modo como se move ou se comporta ou cumpre as tarefas do dia a dia. Anote suas experiências no diário e compare-as com a seção "A Mandala Lunar e a Vida Cotidiana", algumas páginas a seguir.

Consciência interior

A Mandala Lunar é um registro da expressão exterior de seu ciclo mensal, em termos de emoções, saúde, sexualidade e criatividade. Após começar a entender a manifestação exterior do ciclo, é necessário também aprender sobre sua manifestação interior, para começar a interagir com essas energias. O ciclo de uma mulher na fase menstrual pode ser sensível a muitos fatores, como perda de peso, uso de drogas, doenças, ansiedade, choques ou estresse. Com frequência, uma mulher submetida a estresse pode experimentar mudanças em seu ciclo, como atraso menstrual, fluxo alterado ou dores e desconforto crescentes. Nessa situação, o útero e o ciclo menstrual reagem ao estado mental da mulher. O ciclo também pode alterar sua orientação de acordo com a Lua, dependendo de como a mulher percebe a própria vida e do que ela quer alcançar naquele momento.

Além disso, dependendo dos hormônios liberados em seus diferentes estágios, o ciclo menstrual pode interferir significativamente nas capacidades físicas da mulher, bem como em sua personalidade, criatividade e energias sexuais. A ligação entre a mulher e seu útero é uma via de mão dupla, e você pode interagir de modo consciente com essa ligação por meio de seu subconsciente. Você também pode distorcer essa ligação e, como consequência, causar distúrbios em seu ciclo, ao odiar os efeitos dele em seu corpo ou por restringir seu fluxo e a expressão das energias de seu ciclo e das necessidades de seu corpo. Esses distúrbios podem causar ainda mais perturbações na ligação com seu ciclo e causar assim um círculo vicioso. Para quebrar esse círculo vicioso e recriar uma ligação positiva, você precisa se tornar consciente do seu útero num nível interior, conhecer seu ciclo e suas energias e aprender a aceitar a sua própria natureza cíclica.

A forma mais fácil de estabelecer uma ligação com o ciclo menstrual é usar a imaginação, a visualização e pensamentos, para tomar consciência do útero e exercer uma influência sobre ele. As mulheres muitas vezes nem se dão conta de que têm um útero, exceto na menstruação ou na gravidez. Os exercícios a seguir foram criados com o intuito de despertar a sua consciência do seu útero e iniciar uma relação profunda entre ele e sua mente consciente. Depois que você fizer esses exercícios, uma ligação consciente será estabelecida, permitindo que use a visualização para beneficiar seu útero em momentos difíceis do ciclo e renovar sua ligação com ele quando você se sentir mais distante. Essa prática permitirá também que seu subconsciente lhe revele o verdadeiro sentido da menstruação.

Talvez você ache mais fácil realizar estas visualizações se elas estiverem gravadas num arquivo de áudio. Ao fazer a gravação, leia o texto devagar, dando-se tempo para construir o cenário na sua mente e interagir com ele.

Exercício

Este exercício tem como objetivo estabelecer uma ligação consciente entre a sua mente e o seu útero. Depois que você fez essa ligação, ela poderá ser reativada a qualquer momento, no decorrer do dia ou do ciclo. Ao reconhecer que a mente é ligada ao útero, que reage às mudanças dele, assim como ele reagirá de volta às mudanças mentais, essa ligação poderá ser um instrumento por meio do qual sintomas como ciclo irregular, dores menstruais ou tensão pré-menstrual passem a ser muito mais aceitáveis e, assim, integrados à sua vida.

Utilize o exercício a seguir em qualquer momento do mês, para restabelecer a consciência do seu útero. Ele não precisa ser sempre realizado num cômodo silencioso e com velas, ainda que isso ajude a tornar o primeiro encontro especial. Seu útero está com você o tempo todo, então tome consciência dele enquanto estiver trabalhando, fazendo compras ou em qualquer outro momento!

Conscientize-se do seu útero

Sente-se num ambiente tranquilo, numa posição confortável. Talvez você já tenha alguma experiência com a prática da visualização. Caso não tenha, sente-se numa cadeira, com as mãos confortavelmente sobre o colo ou sobre as coxas, e deixe a cabeça ligeiramente inclinada para a frente. Outra opção é deitar-se no chão, com os braços e pernas ligeiramente afastados do corpo e a cabeça descansando em algo macio. (O risco dessa posição é você cair no sono.)

Comece fechando os olhos e relaxando o corpo. Ao expirar, imagine todas as tensões e preocupações do mundo cotidiano sendo eliminadas do seu corpo e entrando na terra sob seus pés. Fique consciente dos seus pés e da sensação de pressão sobre eles. Deixe sua atenção vagar pelo corpo, enquanto você se conscientiza dos seus pés e pernas, dos braços e mãos, do abdômen e peito, do rosto e dos ombros, e do ritmo de sua respiração. Por fim, conscientize-se do seu corpo como um todo.

Então, leve a consciência ao seu útero. Veja em sua mente o útero, no centro, com as trompas de Falópio em cada um dos lados e os ovários nas extremidades. Conscientize-se primeiro de um ovário e depois do outro. Talvez você comece a perceber uma sensação de aperto ou de calor crescente na área do útero. Agora, visualize seu útero crescendo pouco a pouco, até envolver todo o seu corpo. Sinta as trompas de Falópio estendendo-se a partir dos ombros e visualize seus braços se alongando como galhos e as mãos segurando cachos de óvulos como frutas. Permita que as energias criativas do útero despertem dentro de você e percorram seus braços e seus dedos, fazendo-os vibrar. Sinta-se completamente unificada com a imagem do seu útero.

Aos poucos, abaixe os braços e deixe que a imagem do seu útero vá diminuindo até voltar ao tamanho normal. Conscientize-se da presença dele e do resto do corpo. Então abra os olhos e respire fundo.

Você poderá sentir uma intensa paz após esse exercício ou talvez sinta a necessidade de usar a energia gerada para criar alguma coisa. Você não precisa sair e criar uma obra-prima. Use a energia em sua vida cotidiana, fazendo artesanato, música, poesia, cozinhando, costurando e cuidando do jardim. Use-a também em suas relações com outras pessoas, ajudando-as a se curar ou a resolver problemas.

A Árvore do Útero

A primeira parte deste exercício apresenta a imagem da Árvore do Útero. Você pode usar essa imagem a qualquer momento, a fim de interagir com seu útero e seu ciclo menstrual num nível interior.

A segunda parte do exercício apresenta a sua Guardiã, que detém a chave das forças criativas que crescem no seu corpo e na sua mente. Essas forças podem ajudá-la a equilibrar qualquer problema e revelar o conhecimento interior do seu ciclo menstrual. A Guardiã poderá tomar qualquer forma e surpreendê-la com a imagem pela qual se apresenta. Talvez você também perceba que a cena visualizada se altera dependendo do momento do mês. Ambos os exercícios podem ser usados em qualquer dia do mês, no intuito de interagir com seu próprio útero ou com sua própria natureza interior. Talvez você deseje manter um registro de qualquer *insight* recebido.

Estabeleça a ligação

Relaxe como no primeiro exercício. Visualize-se de pé, rodeada por uma névoa prateada. Enquanto a névoa vai se dissipando, você caminha para uma clareira iluminada pela Lua. No centro da clareira há uma imensa árvore, num pequeno monte que aflora do centro de um laguinho circular. À medida que se aproxima, você vê o tronco, de um tom rosa prateado, de onde saem dois galhos, cada um deles terminando em ramificações cheias de folhas e inúmeros frutos vermelhos brilhantes. Acima da árvore, como a pincelar as folhas mais altas, você vê uma Lua cheia inundando a cena com sua luz prateada.

Você respira fundo e se sente muito serena e tranquila, preenchida por uma sensação de deslumbramento. A árvore toda parece tremeluzir de vida, e você sente uma ligação profunda com ela. Você caminha até a beira da lagoa, até que as folhas estejam ao alcance das suas mãos. Elas se inclinam sobre as águas na sua direção. A água é azul-escura, e você pode ver as raízes da árvore desaparecendo nas profundezas. Algo agita sua mente, e você se torna consciente de gavinhas, como raízes, ligando sua mente a seu útero. Você sente que a água é viva e, ao olhar para ela, vê o próprio reflexo com a luz da Lua que dança sobre você. A água guarda em suas profundezas os mistérios do universo, e você reconhece a ligação universal entre as mulheres e a Lua, o útero e os ciclos lunares, o útero e a mente, e a mente e o útero.

Por um instante, permaneça ali, sentindo a proximidade da árvore. Quando estiver pronta, deixe que as névoas voltem a cobrir a cena e, de maneira gradual, tome consciência do seu corpo. Antes de abrir os olhos, sinta as gavinhas em sua mente conectando-a ao útero em seu ventre.

Encontre a Guardiã

Relaxe como antes e visualize-se de pé, num prado morno e ensolarado. Pare por um instante enquanto sente a sensação da relva em contato com seus pés descalços, o perfume do ar, a qualidade da luz do Sol e da estação do ano. À sua frente, ergue-se sua Árvore do Útero e, ao caminhar na sua direção, você percebe que a estação tocou seus ramos... Uma brisa leve roça as folhas. Olhando para os galhos acima, você pede que sua Guardiã apareça. Quando baixa os olhos, sua Guardiã está em pé à sua frente. Perceba tudo o que puder na aparência dela.

Você sente uma aura de poder sutil enquanto a Guardiã, em silêncio, segura algo nas mãos. Trata-se de uma bonita miniatura de um objeto em forma de cruz, com uma cúpula em cima, feita de ouro com desenhos intrincados e cravejada de pedras preciosas. Você fica deslumbrada com sua arte e beleza e, quando a Guardiã ergue a cúpula, você percebe que se trata de uma caixa. E perfeitamente acondicionado dentro dela, em pé, há um cálice. A parte externa do cálice é de ouro e a interna, de prata. Dentro dele, há uma pequena quantidade de um líquido vermelho escuro, que praticamente cobre um anel com um grande rubi.

A Guardiã tira o cálice da caixa e o oferece a você. Ela diz que, se você tocar o anel, o vinho a envenenará, mas se beber o vinho antes, poderá recuperar o anel com segurança. Você leva o cálice aos lábios e sente um gosto forte de especiarias na língua. Ao retirar o anel do cálice e colocá-lo em seu dedo, você sente que algo importante acaba de acontecer. A sensação é de um calor em seu útero e de uma força interior que lhe dá confiança e inspiração. Você é uma Mulher, e isto é tudo o que significa ser mulher: você aceita seu corpo e confia em sua natureza, sabendo que faz parte tanto do mundo interior quanto do mundo exterior. Com essa aceitação e confiança, vem um sentimento de graça e, à medida que se conscientiza do seu corpo real, você transfere essa graça e essa força para ele.

O contato com sua Guardiã pode ser realizado futuramente, a qualquer momento, por meio da visualização de sua Árvore do Útero.

A consciência interior que a mulher tem do seu ciclo menstrual também pode se dar por meio de Animais Lunares em seus sonhos ou sua imaginação. Talvez você descubra, nos registros das Mandalas Lunares, que sonha com certos animais durante o mês; eles podem anunciar sua ovulação ou o sangramento e refletir medos e traumas inconscientes. Esses animais oferecem a compreensão da sua verdadeira natureza, trazendo à sua mente consciente a orientação que poderia ser reprimida. Manter um registro de seus sonhos é importante, uma vez que isso traz a consciência desses animais e sabedoria para sua mente desperta. A relação com os Animais Lunares não é restrita a sonhos passivos ou reativos, ela pode ser trazida à mente consciente por meio de devaneios, visualizações e meditações, ou quando você escreve histórias ou poemas sobre esses animais ou retrata-os numa pintura.

A repressão e a restrição da sua natureza podem resultar em Animais Lunares com características assustadoras, mas isso só acontece porque eles refletem o medo e o desprezo que você sente por seu ciclo e, como consequência, por você mesma. Para expressar a informação necessária, seu subconsciente fará uso das imagens dos animais de uma forma que sua mente consciente entenderá.

Exercício

Se você não se lembra de nenhum animal em seus sonhos ou se quiser preparar um ambiente para encontrar um Animal Lunar em especial, você poderá usar a descrição do encontro de Eva com os Animais Lunares em "O Despertar" como base para a sua visualização.

À medida que você se conscientizar dos animais, aquele que tiver uma importância especial para você dará um passo adiante para encontrá-la. Esse animal poderá falar com você e lhe mostrar cenas, entregar-lhe um objeto significativo ou lhe despertar emoções. Se você teve um sonho com algum animal específico, peça que ele se aproxime e lhe ofereça ajuda na interpretação do significado desse sonho. Talvez você precise reviver o sonho antes que o significado se torne claro.

Uma sugestão é tentar fazer a visualização antes de dormir e dar ao animal a liberdade de agir em seus sonhos para ajudá-la.

USE A SUA CONSCIÊNCIA

Agora que já fez visualizações para estabelecer uma ligação interior com seu útero, você poderá usar essas imagens sempre que desejar, seja para voltar a entrar em sintonia com seu ciclo, seja para obter alívio em momentos de tensão menstrual.

Se você sofre de dores em algum momento de seu ciclo, poderá usar a imagem da Árvore do Útero como forma de interagir com seu útero e minorar o desconforto, conforme demonstrado a seguir.

Exercício

Encontre uma posição relativamente confortável, sentada ou deitada. Se optar por ficar sentada ou ajoelhada, procure manter a coluna ereta. Respire fundo e, ao expirar, relaxe qualquer tensão muscular que a dor pode ter causado em você. Não se concentre na dor desta vez, mas esteja consciente do seu útero da mesma forma que no exercício "Conscientize-se do seu útero" e perceba uma sensação de acolhimento cada vez maior. Visualize a Árvore do Útero em seu ventre e mande-lhe pensamentos de amor e carinho. Isso reforça a ligação de aceitação entre sua mente e seu útero.

Aceite a dor e não tente lutar contra ela. Após alguns minutos, visualize uma cascata de água morna fluir por seu corpo, da cabeça aos pés. Respire devagar e profundamente e, enquanto expira, permita que o calor carregue a dor e alivie qualquer espasmo muscular.

Ainda que este exercício talvez não erradique o desconforto por completo, ele pode ajudá-la a passar pelos momentos mais difíceis. Lidar com a dor não é fácil, requer prática, mas para isso é preciso que você permaneça calma, mental e fisicamente. E o mais importante: não lute contra ela. Deixe que ela aconteça, mas facilite a forma de passar por ela com amor e aceitação.

Se você sofre muito com distúrbios menstruais, sejam mentais ou físicos, faça os exercícios "Conscientize-se do seu útero" e "A Árvore do Útero" ao longo do mês, a fim de manter uma ligação constante e positiva com seu ciclo. Talvez você precise rever seu estilo de vida e avaliar se está reprimindo sua natureza ou suas energias cíclicas. As diferentes fases do ciclo menstrual e as várias formas de interagir com elas serão tratadas posteriormente neste capítulo.

A fim de se realinhar mentalmente com seu ciclo ou com as fases da Lua, fique ao ar livre, sob a luz da Lua cheia. Encontre um local em que você possa ver a Lua e esteja consciente da sua luz, no céu e na sua mente. Sinta o seu útero e tenha consciência da Árvore do Útero. Veja a Lua cheia descansar nos galhos da sua Árvore do Útero, refletindo sua luz nas águas que a rodeiam. Sinta as gavinhas das raízes da árvore se aprofundando nas águas da sua mente. Esteja consciente da Lua em seu útero, da Lua em sua mente e da Lua no céu. Talvez você goste de ver isso como uma rededicação mensal da sua natureza consciente à sua natureza cíclica mais profunda. Neste exercício, não faz diferença se sua fase pessoal não está no momento coincidindo com a fase da Lua.

Se você está tentando sintonizar seu ciclo com as fases da Lua, durma olhando para ela ou, se isso não for possível, durma com a luz acesa durante o período da Lua cheia. Lembre-se, porém, de que você não precisa seguir o ritmo da Lua para estar em harmonia com as fases e energias do seu próprio ciclo.

Após a fase de sangramento, você poderá sentir que quer marcar o fim de um ciclo e o início de um novo, o fim da fase escura e o início da fase da Donzela. Na Grécia Antiga, as mulheres visitavam o templo de Atena, no fim de seu sangramento, para lavar os panos manchados de sangue e renascer como virgens. O exercício seguinte pode ser usado como uma depuração ao final da menstruação, a eliminação do velho como forma de preparação para o novo, ou como uma purificação e rededicação do seu útero e do seu ciclo, caso você tenha sofrido alguma invasão ou abuso.

Exercício: Depuração

O exercício de depuração baseia-se numa intenção. Você pode incluir quanto simbolismo quiser de acordo com a sua necessidade ou tempo disponível. O único requisito prático é ter um pouco de água. Um banho de imersão é a forma mais luxuriante de realizar a depuração, mas você também pode usar o chuveiro ou uma simples bacia com água, se preferir.

Caso possa tomar um banho de imersão, permita-se relaxar na água, liberando-se de qualquer tensão ou preocupação do dia. Depois de um tempo, visualize a fase da Lua no céu e sinta-se banhada em sua luz ou escuridão. Conscientize-se da água que a rodeia, da água do seu corpo e da influência da fase da Lua sobre ela. Sinta a presença do seu útero e visualize sua Árvore do Útero com cada uma das fases da Lua descansando em seus galhos. Recolha um pouco de água em suas mãos, eleve-as e, enquanto a água goteja por entre seus dedos, sinta a luz ou a escuridão da Lua descer fluida por seu corpo, da cabeça até o útero. Mantenha as mãos elevadas por quanto tempo sentir necessidade e então, de forma gradual, abaixe-as, sentindo-se limpa, renovada, pura e em paz.

Desfrute desse sentimento pelo tempo que puder e então saia da água. Enquanto a água goteja do seu corpo ou a banheira esvazia, sinta o velho ciclo, com todas as emoções e problemas, indo embora com a água, e você emergindo como Afrodite, bela e renovada.

A MANDALA LUNAR E A VIDA COTIDIANA

A criação da Mandala Lunar, ao longo de vários meses, com base na experiência pessoal da mulher, não apenas enfatiza a natureza cíclica da sua personalidade, mas também lhe permite compreender o conceito intelectualmente e sentir por ela mesma a verdade e a força dos ritmos da sua vida.

Considerando que a expressão natural da sua natureza cíclica foi reprimida pela sociedade, é necessário que cada mulher reaprenda essa expressão com base em seu próprio ciclo.

As seções a seguir apresentam com detalhes as quatro fases principais do ciclo menstrual, sugerindo diferentes formas por meio das quais essas fases se expressam e a mulher pode interagir com elas. Como já foi mencionado, a divisão em quatro fases é apenas a divisão mais simples do ciclo, e cada ciclo feminino se manifestará de sua própria forma. No entanto, as ideias e os conceitos podem ser usados como um guia para uma interpretação geral e para a interação com elas.

Cada fase sugere um exercício de conscientização, elaborado no intuito de oferecer uma abordagem mais experiencial e menos intelectual das energias. Se possível, esses exercícios devem ser feitos durante a fase correspondente, ainda que eles possam ser usados em qualquer fase com o objetivo de reequilibrar as energias interiores do ciclo. Como nas visualizações anteriores, pode ficar mais fácil fazer os exercícios se você gravar previamente o texto num arquivo de áudio. Cada seção considera, ainda, o desequilíbrio gerado quando uma mulher permite que as energias de uma fase dominem sua vida e inclui uma lista de palavras-chave que poderá ser usada na seção "Expansão da Mandala Lunar", mais adiante.

A fase da Bruxa Anciã

A fase da Bruxa Anciã é um tempo de retiro, de escutar seu eu interior e seu corpo. Essa fase pode começar com a menstruação ou um pouco antes e terminar mais ou menos quando o sangramento termina. Não há fronteiras rígidas entre as diferentes fases. A energia flui livremente de uma fase para outra e você aos poucos terá consciência da mudança nas energias que marcarão o início da próxima fase. A Bruxa Anciã é uma *Fase de Equilíbrio*, ela equilibra a expressão interior das energias intuitivas com a expressão exterior do intelecto.

O tempo do sangramento é um momento em que as barreiras entre a mente consciente e a subconsciente são menores, permitindo-lhe abrir a percepção do seu corpo e interagir com a consciência dele. Ainda que se trate de uma fase de retiro, ela não é negativa. Com frequência, há um sentimento de aceitação e de pertencimento ao todo, e essa é uma oportunidade de permitir que sua expressão pessoal interior chegue à sua mente desperta. A capacidade que essa fase nos dá de perceber padrões em nosso comportamento e ganhar conhecimento faz com que as energias criativas, antes inspiradoras, tornem-se visionárias. A fase da Bruxa Anciã é um tempo de quietude e gestação, que precede o momento de irromper para o mundo mais uma vez, na luz branca da Lua crescente. É o ponto crucial entre o fim de um ciclo e o início de um novo.

Com a menstruação, o processo de desaceleração da fase da Feiticeira se completa. O corpo tem menos energia física e pode ficar mais pesado, os seios e o ventre inchados. Além disso, normalmente precisamos dormir mais. As coisas mundanas ficam menos importantes e torna-se entediante ou mesmo impossível concentrar-se ou dar atenção aos pequenos detalhes e às necessidades cotidianas. A necessidade de retiro é, na verdade, a necessidade que a mulher tem de se conscientizar de suas dimensões interiores. Socializar, e mesmo falar, pode tornar-se desnecessário. Os mundos interiores e exteriores se mesclam, e o silêncio e a necessidade de sonhar permanece com a mulher enquanto ela executa suas tarefas diárias. Isso muitas vezes pode lhe dar a sensação de viver em dois mundos ao mesmo tempo.

Os processos mentais também estão mais lentos e podem ser interrompidos por completo, num estado meditativo ou de devaneio, como num transe. No entanto, as emoções vêm à tona com facilidade, e a extrema sensibilidade empática pode tornar o mundano algo difícil de suportar. As energias sexuais se intensificam e, nessa fase, podem levar a experiências de uma profundidade que não encontramos no restante do ciclo. É provável a necessidade de expressar sentimentos de amor e romance e de senti-los também por parte do parceiro. O sexo, nessa etapa, pode ser a expressão de um amor intenso, quase espiritual, entre duas pessoas.

INTERAÇÃO COM AS ENERGIAS DA BRUXA ANCIÃ

A maneira mais simples de refletir os sentimentos interiores em sua expressão exterior é por meio da sua aparência. Roupas são uma expressão criativa do seu eu interior e da sua reação ao seu corpo e ao mundo à sua volta. Ao escolher roupas, estilo de cabelo, maquiagem e adornos, você refletirá seus sentimentos e os expressará com imagens, cores e formas. Esse é um processo pelo qual as mulheres passam todos os dias, mas que, por ser tratado de modo quase inconsciente, não é visto como uma expressão criativa. Ao escolher conscientemente suas roupas e as cores que se sintonizam com suas fases, você desperta em sua consciência cotidiana a ligação entre você, seu corpo e seu ciclo.

Alterar o estilo de suas roupas no decorrer do ciclo reforça as qualidades de cada fase dentro de você. Ter consciência dessa fase e vestir-se de modo a expressá-la altera de modo sutil sua maneira de caminhar, seus trejeitos, seus gestos e suas atitudes em relação às pessoas, porque a fase dentro de você é constantemente enfatizada. Talvez você também descubra que homens e mulheres reagirão de maneiras diferentes a você em cada fase, ao perceber essa expressão de modo inconsciente.

Durante a fase da Bruxa Anciã, talvez você se sinta inclinada a usar roupas confortáveis ou amaciadas pelo uso. Podem ser as roupas mais "batidas" ou que a deixam mais livre, como saias e vestidos. Talvez você ache que seus seios e sua barriga fiquem maiores nessa fase, então escolha roupas que se amoldem às suas formas arredondadas. Se você se preocupa muito com a sua silhueta, talvez prefira vestir-se de modo a cobrir essas formas, mas não lute contra seu corpo nem olhe para ele com desprezo. Com a aceitação das mudanças do corpo vem a serenidade e a confiança em sua forma mais plena. Como nas representações pré-históricas de Vênus, o corpo mais roliço deve ser reverenciado.

Escolha as cores que você sinta serem apropriadas. Talvez queira vestir vermelho para mostrar que está sangrando, preto para indicar seu tempo de retiro ou roxo para expressar uma natureza mais esotérica. Talvez sinta que um xale ou echarpe pode ser um símbolo de seu retiro e uma barreira protetora entre você e o mundo.

A fase da Bruxa Anciã também traz a necessidade de quietude e silêncio. A vida da maioria das mulheres é tão agitada que elas não se permitem menstruar de forma natural. O corpo perde sangue, mas os tampões reduzem a atenção que elas lhe dão. Elas se arrastam como se estivessem "normais", muitas vezes precisando exigir ainda mais de si mesmas, mental e fisicamente, a fim de alcançar as expectativas usuais de trabalho. Muitas vezes, é possível que a mulher se pergunte por que se sente tão cansada e não consegue trabalhar, para só então se lembrar de que está menstruando.

A vida cotidiana não faz uma pausa para as mulheres menstruadas e, na sociedade cotidiana, mais do que nunca, há cada vez menos tempo para que as mulheres se retirem. Há sempre expectativas e demandas para cuidar da casa e da família, trabalhar para ganhar a vida e construir uma carreira ou um negócio. É difícil para as mulheres aceitarem o lado menstrual da sua natureza se não lhes é permitido parar e escutá-lo. A mulher moderna precisa encontrar equilíbrio para cumprir todas as demandas de trabalho, as necessidades de sua família e, ao mesmo tempo, atender às suas próprias necessidades. Uma forma de atender às suas necessidades durante a menstruação é se permitir menstruar tanto física quanto mentalmente sempre que possível. Isso deveria ocorrer todos os meses, mas, ainda que você não consiga ter esse tempo sempre, é válido tentar.

A necessidade física da menstruação pede que você diminua seu ritmo de vida. Se puder, tente passar algum tempo longe das demandas de trabalho, família e parceiros e faça apenas o que sente necessário, ainda que seja apenas por uma hora, durante a noite. Explique à sua família ou ao seu parceiro que não há nada errado, mas que você precisa de um tempo quieta, sozinha se possível, para desacelerar e descansar. Uma vez que se permita desacelerar, você descobrirá que esse processo vem de forma natural e que isso acaba alterando as urgências e prioridades, à medida que você analisa o que precisa fazer. Tente não assumir muitas tarefas nesse período e organize seu dia de acordo com o que você sente com relação à menstruação. Se precisar manter o ritmo cotidiano durante o dia, será ainda mais importante que se dê um tempo para interagir com a menstruação durante a noite. Tente se desvencilhar de todas as coisas que demandam seu tempo, mas que não sejam essenciais. Provavelmente você descobrirá que sua tendência nesse período é não se importar mesmo com elas.

Fazendo só o que é essencial, você se sentirá mais capaz de enfrentar as situações e sentirá menos a pressão das expectativas cotidianas. Se perceber que não tem energia para trabalhar com tanto vigor e agilidade na fase da Bruxa Anciã, tente organizar sua vida de forma que possa usar a energia dinâmica da Donzela para compensar esse período em que você está mais devagar. É óbvio que pode não ser possível organizar sua rotina dessa forma todos os meses, mas sempre que você conseguir, verá que isso trará imensa satisfação à sua vida.

A pouca energia pode alterar não apenas a organização da sua vida, mas também a interação que você tem com seu corpo. Se você se permitir sangrar, sobretudo sem usar um tampão, o seu caminhar e os seus movimentos ficarão mais lentos, quase como num sonho. Se você se mexe mais devagar, seus movimentos serão graciosos, como numa dança. Mas se você lutar contra isso e forçar o movimento, ele será desajeitado e descoordenado. Praticar esportes pode ser mais difícil nesses momentos, e talvez você descubra que não consegue alcançar os mesmos níveis de força, energia e aptidão física de outros períodos do mês.

A menstruação é o momento de expressar sua conexão consciente com o corpo e também a ligação entre seu corpo e o mundo natural. Ao sangrar, dê-se o luxo de tomar um banho de imersão ou de se lavar com mais frequência, não porque a menstruação seja suja (ainda que a higiene seja importante), mas porque essa é uma forma de se sentir bem, de mimar seu corpo e criar um sentimento de unidade com ele. Use a água para levar embora os sentimentos, problemas e desejos do mês que passou, e sentir sua ligação com a água: veja as águas das suas emoções; a água do seu corpo, que lhe dá vida e intuição; a chuva fertilizadora e as águas do seu nascimento. Use esse tempo para desfrutar do seu corpo; escolha velas e, para aromatizar, óleos naturais ou extratos de ervas. Talvez você sinta a necessidade de não usar roupas ou perfumes sintéticos. Use a massagem para conscientizar-se do seu corpo e dedique tempo às áreas que costumam ser ignoradas. Em geral, uma saúde debilitada pode significar falta de bem-estar. *Ao reconectar-se com seu corpo, sua natureza e seu espírito, o senso de conectividade e bem-estar podem ser restabelecidos.*

Você pode sentir atração por alimentos mais simples, como vegetais, cereais e frutas, em vez de querer guloseimas e *fast food*. Talvez seu corpo peça alimentos que você não costuma consumir ou talvez você não sinta nenhuma necessidade de comer. O corpo parece nos levar a uma expressão mais natural na menstruação, um reflexo da necessidade característica desse período, de vivermos de uma forma mais simples.

Nesse período, a mente, as emoções e os processos mentais mudam. A mulher pode ficar com o raciocínio mais lento e os pensamentos podem ser caóticos, pouco lógicos e intuitivos. Talvez você não sinta vontade de conversar nem de se esforçar para ter contato social. A capacidade de se concentrar por longos períodos pode ser reduzida, levando a frustração e lágrimas.

Como já foi mencionado, podemos melhorar nossa desenvoltura para enfrentar as questões diárias reorganizando nosso ambiente ou mudando nosso estilo de vida durante esse período, mas talvez a dificuldade seja mais no nível emocional. A empatia por outras pessoas fica muito mais intensa nesse período, e para algumas mulheres isso pode chegar a um nível quase insuportável, levando a muitas lágrimas e emotividade. Você se sensibiliza mais ao ver desastres e tragédias, seja nos jornais e noticiários, seja em filmes e livros, em geral sentindo o luto das famílias ou o sofrimento das vítimas como se fossem seus.

O choro é o fluir das energias emocionais, o que pode se tornar parte da cura durante a menstruação. As emoções associadas ao luto também são um reflexo da consciência da morte, do fim do antigo ciclo e da perda, e todas elas são parte da conexão mensal entre as mulheres e os ritmos da vida. No entanto, ainda que ter consciência disso possa ser terapêutico, a avalanche de notícias de desastres em todo o mundo pode tornar essa sensibilidade destrutiva e causar sentimentos de desesperança.

Você não pode carregar o luto e as emoções do mundo inteiro, e por isso precisa se proteger. A forma mais fácil de fazer isso é afastar-se da televisão, das redes sociais na internet, do bate-papo on-line, do rádio e dos jornais, limitando seus sentimentos aos problemas imediatos da sua família e amigos mais próximos. Mas isolar-se por completo da tragédia não lhe permitirá vivenciar a percepção da morte e da renovação que vem com a menstruação, então é necessário encontrar um certo equilíbrio. A outra maneira de lidar com esses sentimentos é mudar sua atitude. Em vez de se identificar de forma passiva com as pessoas, sentindo as emoções delas como se fossem suas, você pode começar a estimular em você o sentimento de compaixão. Ao sentir *pelos* outros, em vez de sentir *com* os outros, você estará em posição de oferecer ajuda. Ao transformar empatia em compaixão, essa ajuda será oferecida com mais compreensão.

Na fase da Bruxa Anciã, não só o corpo precisa de mais sono, como a mente precisa de mais tempo para sonhar pois, à medida que se volta para si mesma, você tem acesso aos mecanismos da sua vida interior, e seus sonhos podem lhe ensinar muito sobre seu corpo e sua mente.

Sonhar não é algo que se restrinja necessariamente às imagens produzidas durante o sono, mas também pode ser devanear, fantasiar e visualizar, práticas pelas quais a mente consciente pode fornecer um contexto no qual o subconsciente é capaz de interagir, na forma de emoções, ideias, imagens ou percepção. Quando reserva um tempo para sonhar, você ativa o dom da visão, da sabedoria imaginativa, da vidência, do *insight* e das experiências místicas.

Mantenha um registro de seus sonhos e *insights* nesse período. Talvez você perceba que eles alteram seu modo de ver a vida ou oferecem alguma ajuda e compreensão. Eles também podem ser usados como temas para visualização e meditação.

Podemos, ainda, fazer uso da oração, da magia e da adivinhação para expressar nossa consciência interior no período da Bruxa Anciã. Há muitos livros disponíveis que cobrem uma ampla gama de tradições, preces e métodos de adivinhação. Se você não tem familiaridade com nada disso, tente experimentar alguns desses métodos, entre os muitos existentes, para descobrir qual é o melhor para você. Em quase todos os casos, o que lhe será oferecido é uma forma de usar ativamente sua intuição, sua capacidade de reconhecer padrões e ter grandes *insights*, bem como um método para interagir com o conceito da existência de dois mundos.

A fase escura é o momento de permitir que suas emoções e sua intuição fluam, mas também é o momento de realizar uma avaliação mental. A morte intrínseca à fase escura é expressa na menstruação na forma da morte do mês que se foi: a morte das amarras, das emoções e dos comportamentos que se construíram durante o mês anterior e precisam ser liberados para recomeçarmos renovadas com a Lua crescente. Use esse tempo para avaliar sua vida, sua saúde e suas relações e para aceitar acontecimentos e emoções que já se foram, os quais, ainda que tenham feito parte de você, agora não fazem mais. Talvez você sinta uma profunda sensação de vazio ou perda. A fase da Feiticeira terá cortado os laços que a seguravam ao seu antigo modo de vida, permitindo que a fase da Bruxa Anciã lhe dê a opção de escolher quais fios utilizar para tecer os padrões da sua futura vida. É tempo de aceitar as mudanças e celebrar o ciclo contínuo que é você.

A fase da Bruxa Anciã traz um anseio profundo de conexão com a natureza, com as energias criativas e com o eu interior intuitivo. As energias criativas desse período são desestruturadas, reagindo a estímulos e criando ideias que podem ser desenvolvidas mentalmente ou descartadas. A mulher Bruxa Anciã pode ser muito sensível a imagens arquetípicas. Quer apareçam em livros, na arte, na televisão ou na música, esses arquétipos podem estimular imagens e expressões posteriores.

Tente estimular sua mente de forma ativa, contemplando trabalhos artísticos e esculturas, lendo histórias folclóricas e lendas (livros infantis são os melhores, por conter ilustrações que podem ajudar a estimular as ideias) ou indo ao teatro. Você descobrirá que algumas imagens irão atraí-la de forma profunda. As ideias estimuladas precisarão de expressão dentro da fase da Bruxa Anciã, uma vez que o poder imagético se esvanece na fase da Donzela. Sua mente, com frequência, escolherá imagens arquetípicas do mundo à sua volta, às vezes sem ter consciência disso.

A fase da Bruxa Anciã é o fim das energias criativas dinâmicas e extrovertidas do ciclo que passou. Esse término pode trazer um sentimento de perda se a nova qualidade interior não for reconhecida, mas também oferece uma oportunidade de cortar as amarras que nos ligam ao trabalho, às ideias e a outras formas que você já tenha criado, permitindo que as sementes de novas ideias cresçam no útero escuro da menstruação.

A ênfase das energias da Bruxa Anciã pode mudar de acordo com a fase lunar à qual seu sangramento corresponde, ou seja, será diferente se você sangrar com a Lua cheia ou com a Lua escura. Uma mulher com o Ciclo da Lua Branca que sangre na Lua escura conecta-se com o nível mais profundo de sua consciência, que a lembra de que existe algo além do mundo manifesto. Uma mulher com o Ciclo da Lua Vermelha que sangre com a Lua cheia leva as energias e os mistérios da escuridão interior para fora, ao mundo manifesto.

No ciclo de uma mulher, às vezes é possível perceber fases que foram reprimidas e outras que foram dominantes. Se a mulher permite que a fase Bruxa Anciã da sua natureza prevaleça, ela pode desenvolver a tendência de viver em sua própria mente, em seus sonhos e fantasias, sem se prender ao mundo real. Ela pode ser alguém que se retira do mundo e de seus acontecimentos, muitas vezes isolando-se de outras pessoas e vivendo só. Uma mulher que reprime as energias da Bruxa Anciã reprime também a força e a sabedoria interior que ela detém, inibindo sua capacidade de crescer por meio da mudança.

> **Exercício: Meditação Menstrual**
>
> Sente-se ou deite-se num lugar tranquilo e escuro e deixe que seus olhos se acostumem à escuridão. Sinta-se protegida e segura, apoiada e amparada pela calidez reconfortante da escuridão. Nela, você se sente capaz e se dá o luxo de esquecer. Sinta ao seu redor a escuridão que existe em todas as coisas, e a escuridão interior do seu próprio ser. Abra-se para ela, não existe medo, só aceitação, amor e cura. Acima de você, veja a escuridão do espaço e o brilho das estrelas e galáxias. Você vê a Lua escura e sente a presença da luz por trás dela. Sinta a aceitação da escuridão dentro de você, não como algo ruim, mas como uma força de renovação e transformação. A escuridão é a fonte de todo ser, do potencial do útero, da escuridão na qual você nasceu e da escuridão para a qual você retornará.

PALAVRAS-CHAVE
Escuridão, Hécate, semente, Perséfone, útero, inverno, unidade, potencial, terra, caverna, tocha, tumba, serpente, coruja, universo, Lua escura, visão, profecia, sabedoria, padrões, renovação, gestação.

A fase da Donzela

A fase da Donzela é o tempo de expressar suas energias interiores e de levar o subconsciente à luz do dia. É tempo de tomar posse dos *insights* e das ideias que obtivemos na escuridão da Bruxa Anciã e de lhes dar expressão no mundo cotidiano. A mulher Donzela tem a oportunidade de regenerar sua vida. O tempo de luto pelo mês passado acabou, ela tocou a fundo seu eu interior, por meio da menstruação, e renovou a força e a confiança vindas dali.

Esse é um tempo de renascimento, de uma nova energia e entusiasmo. Com o fim da menstruação, o corpo fica mais esbelto, revitalizado, ágil e jovem. A lentidão característica da fase anterior, que deixava a mulher como num estado de transe, bem como as suas energias destrutivas tornam-se, na nova fase, dinâmicas e focadas em novos objetivos. A alegria de viver encontra expressão no corpo renovado do começo de um novo ciclo e da interação desse corpo com o mundo. O corpo se torna uma forma importante de expressar e refletir a vida e tem mais disposição física e energia, exigindo, portanto, menos sono. Você volta a ganhar autoconfiança em seu corpo e em suas capacidades.

Na fase menstrual, a maioria das mulheres vivencia suas emoções e sua sexualidade num nível interior profundo. Na fase da Donzela, diferentemente, a sexualidade se torna extrovertida, voltada para o flerte e a diversão. Como uma jovem Donzela, sua natureza sexual é viva e renovada. A autoconfiança em relação ao seu corpo lhe confere uma sensualidade jovial que se reflete em seu comportamento, tornando seus atos sexuais cheios de diversão e amor. O primeiro ato sexual após o sangramento renova a ligação entre a mulher e seu parceiro, remetendo ao primeiro encontro dos dois.

A fase da Donzela vem acompanhada de um dinamismo mental e físico. Você se torna mentalmente forte, analítica e com o pensamento claro. Desenvolve a capacidade de enxergar a estrutura das coisas, especificar, estabelecer prioridades, começar novos projetos e manter o entusiasmo para fazer com que eles se concretizem apesar dos obstáculos. Você também se torna mais independente, sem necessidade de tanto apoio, conforto e encorajamento, e passa a sentir um impulso interior na direção das coisas em que acredita, apesar de qualquer oposição. Para alguns homens, essa mulher forte, determinada e de raciocínio rápido pode parecer ameaçadora.

Você também passa a ter força para defender e proteger quem estiver em situação de fragilidade ou sofrendo injustiças. A Donzela é o lado ativo de sua natureza interior. O que você sente de modo intuitivo e profundo se torna a base para determinada ação. As energias criativas se evidenciam em momentos repentinos de viva inspiração e, somadas à capacidade maior de concentração e atenção aos detalhes, permitem que você *alcance os objetivos que estabeleceu para si mesma.*

A fase da Donzela é, ainda, uma fase de comunicação e sociabilidade. Você pode sentir necessidade de encontrar pessoas, sair e se divertir. Essa fase pode ter início imediatamente após o sangramento ou no final dele. Essa é uma fase de constantes mudanças e suas energias radiantes fluem na direção da fase da Mãe.

INTERAÇÃO COM AS ENERGIAS DA DONZELA
Durante a fase da Donzela, talvez você sinta vontade de vestir roupas de estilo mais jovem e cores mais vivas. Como seu corpo parece mais esbelto e em forma, você pode expressar isso usando roupas mais justas ou sensuais, mas num estilo que evoque mais diversão do que sedução. O uso de saias lhe dava mais fluidez na fase menstrual, mas a liberdade de um *jeans* ou de bermudas pode ser mais adequada à fase atual, de mais energia e muitas atividades. Divirta-se com suas roupas, vista branco se a agrada e até roupas íntimas no estilo "Donzela sexy", com rendas e babados brancos! Sua sexualidade é nova e divertida, então faça com que ela se expresse em seu estilo de cabelo, nas suas roupas, adereços e atividades. Ao longo dessa fase, talvez você perceba que a energia jovem e frívola aos poucos amadurece e se aprofunda, embora o sentimento de independência e a necessidade de se manter ativa permaneçam. Talvez você possa demonstrar também essa mudança gradual na forma de se vestir.

A fase da Donzela é uma fase de atividade, mental e física. Tente encontrar tempo para fazer exercícios, mesmo que seja apenas deixando o carro na garagem e fazendo uma caminhada. O prazer que você sente com seu corpo e no mundo a seu redor se torna a expressão do prazer que sente apenas por estar viva. Se tiver tempo, aprenda um novo esporte, recomece a praticar um antigo ou explore novas modalidades de dança ou ginástica. Se puder fazer isso com um grupo de amigos, pode ser ainda mais divertido e você ainda suprirá sua necessidade de ser mais sociável. Com o aumento da autoconfiança e da disposição física, essa fase é um bom momento para começar uma dieta de emagrecimento, adotar uma alimentação mais saudável ou seguir uma rotina de exercícios. Durante o mês, a flexibilidade do corpo, sua disposição e sua força variam muito. Não deixe que isso a impeça de praticar um esporte ou exercício. É melhor praticar um esporte quando se sentir disposta e descansar quando estiver cansada, do que não fazer nada por achar que não conseguirá manter essa disposição.

Estimular a mente é tão necessário quanto estimular o corpo: falar com as pessoas; ir a festas ou organizar uma você mesma; ir ao cinema, ao teatro ou a concertos; contribuir com a sua comunidade, escrevendo cartas de reivindicação para as autoridades, dando início a um grupo de protesto ou organizando novos projetos para o bairro ou instituições beneficentes. Tente novas ideias e experimentos e não se preocupe se eles não derem certo. Essa é a oportunidade de descobrir o que funciona e do que você gosta.

A energia extra disponível na fase da Donzela ajuda você a pôr em dia qualquer trabalho que tenha ficado para trás durante a menstruação, assim como a manter, e muitas vezes exceder, sua carga normal de trabalho. Esse é o momento de examinar novos projetos – qualquer tarefa deixada por terminar antes da menstruação precisa ser concluída assim que possível, para que o entusiasmo pelos novos projetos possa ser usado do modo mais proveitoso.

Durante a menstruação e a fase escura, talvez você tenha perdido de vista suas prioridades e a direção a seguir, então agora é o *momento de analisar, organizar e priorizar sua vida.* Pode ser útil registrar por escrito as conclusões a que chegou nesse momento, pois assim, nas próximas fases escuras, poderá se orientar por elas. Examine suas finanças, sua casa, seus relacionamentos e seus objetivos e veja se podem ser mais bem administrados.

Esse é o momento em que as ideias intuitivas geradas no período pré-menstrual e no menstrual ganham mais estrutura. A luz da Donzela é a luz da sabedoria, nascida das profundezas da escuridão com o objetivo de trazer vida nova, consciência e estrutura para sua vida, expulsando o medo e a ignorância. As mulheres podem se sentir incapazes de expressar as energias da Donzela, por se sentirem cerceadas pela expectativa social com respeito à maneira "correta" de uma mulher se comportar. Algumas descobrem que acolhem as energias da Donzela tão completamente que não desejam seguir para a fase da Mãe. A fase é dinâmica e pode, de alguma forma, ser descrita como o aspecto "masculino" do feminino, ainda que essa terminologia acabe por sugerir que os dois aspectos estejam separados. Os homens podem se sentir ameaçados por essa fase, uma vez que ela, de alguma forma, pode invadir o que eles percebem como seu "território" na sociedade. O aspecto Donzela da mulher é, no entanto, uma parte natural do fato de ser mulher, assim como o aspecto da Mãe.

Assim como em todas as fases, a fase da Donzela precisa ser equilibrada com os outros aspectos do ciclo. Uma mulher que permite que o aspecto da Donzela domine pode se tornar muito ambiciosa e colocar o foco em sua carreira, reprimir seus outros aspectos e agir como um homem, aumentando assim as chances de chegar ao topo de sua profissão ou de ascender socialmente. Essas mulheres podem ser muito autossuficientes e independentes e talvez achem difícil se entregar por completo a uma relação ou parceria. Talvez ela também tenha medo da maternidade e não tenha vontade ou não se sinta capaz de cuidar de outra pessoa e nutri-la. O universo intuitivo e cíclico da menstruação tem pouco significado no mundo da Donzela.

> **Exercício: Meditação da Donzela**
>
> Sente-se diante de uma vela ou lareira. Observe a luz do fogo e sinta seu calor. Deixe que os pensamentos do dia se dissipem até que você tenha apenas consciência da luz. Feche os olhos e detenha a imagem da chama diante de você. Sinta a luz em seu corpo, percorrendo suas veias, e a exuberância da energia que viaja com ela. Sinta a força dentro de você, a pulsação da luz que é a sua vida. Conscientize-se de que a seu redor há outras centelhas de luz, de força vital dentro de cada coisa que vive na Terra. Quando se sentir pronta, abra os olhos e veja o fogo da sua vida refletido na luz brilhante da chama.

PALAVRAS-CHAVE:
Dinamismo, energia, intelecto, brilhantismo, inspiração, fogo, luz, saúde, alegria, corpo, exuberância, pureza, unicórnio, cão de caça, leão, búfalo, caçadora, Donzela guerreira, Boadiceia, Afrodite, Atena, determinação, espírito analítico, autoconfiança, autossuficiência, força, atividade, sociabilidade.

A fase da Mãe

A fase da Mãe é um tempo de doação de si mesma, do seu amor e das suas capacidades, e de reconhecer sua conexão com a Terra. Na sociedade moderna, inteligência, força e sabedoria não costumam ser associadas à maternidade. As capacidades e virtudes que as mães demonstram, como cuidado, abnegação e capacidade de nutrir, não são mais tão valorizadas no mundo moderno quanto foram no passado.

Essa fase é um momento de força e energia, mas, diferentemente da fase da Donzela, a energia agora tem uma expressão radiante, em vez de dinâmica, caracterizada por certo desprendimento. Essa fase representa um eixo central, equilibrando a expressão exterior da energia com a expressão interior de amor e cuidado. Ela traz um sentimento de contentamento e completude cultivado num nível profundo de amor e harmonia. A fase da Mãe ocorre por volta do período da ovulação e traz com ela um sentimento de autoconfiança e valor próprio que lhe permite apoiar, ajudar e encorajar as outras pessoas. Você se torna capaz de oferecer sua força com a confiança de que, além de doar, também pode sustentar o que oferece. O foco dessa fase é exterior, na direção dos outros, e não em sua própria direção.

Um forte impulso sexual, que carrega um profundo amor pelo parceiro, também está presente nessa fase. Fazer amor traz a alegria de se dar por completo ao outro e lhe conceder prazer. O cuidado e o amor que você sente pelo parceiro abre mais profundamente sua consciência, de modo que você se sente mais velha – além do tempo real –, e seu parceiro se torna seu filho.

A comunidade, o cuidado e o desejo de ajudar outras pessoas podem se tornar importantes nessa fase. A força para realizar isso é equilibrada por uma consciência interior, espiritual, de ser parte da maravilha que é a natureza e a Divindade. Assim como as energias sexuais, as energias criativas também são fortes, e os sonhos podem se tornar muito vívidos, com imagens e temas recorrentes.

174

INTERAÇÃO COM AS ENERGIAS DA MÃE

Durante a fase da Mãe, você pode notar que suas roupas tendem a expressar, em seus estilos e cores, a natureza ou os elementos da Mãe Terra. Talvez você queira expressar suas energias em roupas étnicas confortáveis, com tintas e fibras naturais, desenhos florais ou cores do verão, ou usando verde ou vermelho no intuito de simbolizar as energias da vida fluindo por você. Diferentemente da feminilidade superficial da fase da Donzela, a fase da Mãe retém uma profundidade imensa, o que talvez a leve a descobrir que a escolha de como se vestir é menos leviana, mais feminina e fluida. Mostre suas curvas, mas de modo mais ameno que na fase da Donzela. Mostre seu decote, se tiver. Com a sexualidade se aprofundando junto à confiança e à força interiores, talvez você note que os homens prestam mais atenção em você. Talvez queira usar mais joias e bijuterias nessa fase, assim como perfumes mais intensos.

A melhor expressão da fase da Mãe é o corpo por ele mesmo, e talvez você sinta a necessidade de se libertar das roupas completamente e usar apenas bijuterias. É óbvio que isso não é recomendado para o ambiente de trabalho ou em temperaturas abaixo de zero, mas se você tiver a oportunidade de caminhar nua pela casa ou no campo, ou apenas desnudar os seios ao sol e à brisa, use isso como uma expressão da abertura de seu ser à natureza e das energias criativas da vida.

A fase da Mãe oferece a oportunidade de uma grande alegria em se doar, em oferecer suas habilidades, sua atenção e ajuda a outras pessoas. A Mãe é capaz de assumir a responsabilidade pelos outros, de cuidar deles e amá-los, oferecendo aconselhamento, orientação e compaixão. Procure as pessoas, tente interagir com elas, e talvez você descubra que elas responderão de forma mais aberta que em qualquer outro período do mês. Talvez elas mesmas se aproximem de você para contar os próprios problemas ou pedir ajuda e conselhos, sem que você sequer sugira isso. Use sua força e sua sabedoria para oferecer conselhos e ajudá-las, mas não tente impor seu ponto de vista. Uma das coisas mais difíceis para as mães é permitir que as crianças cometam os próprios erros.

Procure amigos e familiares que você não vê há um tempo, escreva cartas ou ligue para eles. Ainda que isso não seja muito evidente na vida moderna, a mãe costuma ser o ponto de contato de toda a família. É a mãe quem se lembra dos aniversários, das tradições familiares, das datas comemorativas e que conserva a rede familiar forte, mantendo contato com os que deixaram o lar original. A fase da Mãe pode ser o momento de visitar sua própria mãe, de vê-la como a fonte de sua vida, assim como você também pode ser a fonte da vida de seus próprios filhos. É uma boa ocasião para se dar conta de que, ainda que você seja filha dela, você também é sua igual como mulher e que ambas compartilham o vínculo que vai além das diferenças de geração e aparência. Em sua mãe, você vê a teia da vida espiralar de volta para o passado, e, em você, ela vê a mesma teia espiralar para o futuro. Se você tem filhos, tente fazer algo especial com eles nessa fase; quem sabe haja tradições religiosas ou familiares que possa lhes ensinar, ou talvez você possa se organizar para passar um pouco mais de tempo com eles, ajudando-os em seu aprendizado. As crianças vão notar as diferenças nas fases mais rapidamente que os adultos.

A fase da Mãe carrega a necessidade de uma expressão que seja interior e exterior. Essa fase pode ser muito espiritual, acompanhada de um sentimento de harmonia com a vida, com a natureza e a Divindade. Talvez você tenha a necessidade de estar ao ar livre, de sentir as forças da natureza e da vida a seu redor. Se você tem um jardim ou puder encontrar um lugar tranquilo em meio a plantas e árvores, permita-se ficar na quietude da natureza e tornar-se parte dela. Mesmo que você viva numa área urbana, a natureza ainda está à sua volta no céu, no sol, no vento, na chuva, nas árvores, nas plantas, nos pássaros e nos insetos que compartilham as cidades conosco. Ter consciência da natureza pode ser muito importante nessa fase, sobretudo se você vive numa cidade e nem sempre está rodeada pelo campo. Também é possível experimentar um nível mais profundo de consciência e compreensão com um animal com o qual entrar em contato.

Você pode, ainda, querer experimentar a natureza à sua volta durante a noite. Caso haja um lugar seguro, experimente as emoções e sensações que vêm com a escuridão da noite e a luz das estrelas e da Lua.

A sexualidade dessa fase traz com ela uma forte orientação criativa. Talvez você descubra que repentinamente quer fazer coisas novas para seu lar, como redecorar ou organizar o caos. Caso tenha um jardim, você pode expressar essas energias de nutrição e cuidado com suas plantas. Tente usar suas energias criativas para produzir algo material, como pintar, desenhar, fazer artesanato, tocar música, escrever ou apenas cozinhar algo especial. Enquanto faz isso, tenha consciência de estar criando algo, mesmo que esse processo pareça rotineiro ou mundano.

Nessa fase, talvez você se perceba mais receptiva às ideias de outras pessoas e possa, com uma frequência maior, acessar novos *insights* e novas perspectivas ou gerar ideias por conta própria. Coloque isso em prática e alimente suas ideias nesse período. Se perceber que há projetos a longo prazo começando a se arrastar, use a fase da Mãe para lhes dar continuidade e injetar-lhes mais ímpeto e entusiasmo.

A luz brilhante da fase da Mãe leva ao mundo a energia criativa do útero escuro da fase da Bruxa Anciã. Sua luz irradia para fora, abrangendo toda a vida. A Lua brilhante é a Lua escura quando se manifesta, é a totalidade da criação, a forma manifesta da Divindade. Na luz da Lua cheia, renove sua conexão com a Divindade, na natureza e dentro de si. A ovulação no período da Lua cheia é acompanhada de um sentimento de pertencimento à criação, de participação na criação e de uma alegria de viver. O Ciclo da Lua Vermelha, com a ovulação ocorrendo na Lua escura, semeia a semente da consciência e de um conhecimento interior e profundo, ambos a serem trazidos à luz no mundo manifesto.

Uma mulher que reprime as energias da Mãe pode não ter consciência dos profundos vínculos advindos da partilha e do cuidado com outras pessoas. Uma mulher que permite que essas energias a dominem, pode se tornar passiva, sem ambição pela própria vida e sem autoconfiança em qualquer tema que vá além da casa. Ela pode ser explorada em seu papel de cuidadora, doando-se de modo constante, sem olhar para as próprias necessidades. Ela pode se agarrar à vida da família como a razão absoluta de sua própria existência e, com frequência, não consegue se conformar depois que os filhos deixam a casa dos pais.

Exercício: Meditação da Mãe

Sente-se num jardim ou em algum lugar de onde você tenha a visão de árvores ou plantas. Note os tons de verde, as sombras e a luz do Sol e, de forma gradual, permita que eles se fundam. Com o olhar de sua mente, veja uma linda mulher vestida com uma roupa feita da paisagem a seu redor. Reconheça que você também é parte dessa vestimenta e sinta a presença dela envolver você. Sinta a paz e a harmonia interior que ela traz e, de suas profundezas, o amor que borbulha como uma fonte. Toda a vida a seu redor está conectada nas tramas e ondulações daquele vestido, e ele brilha nas energias criativas que irradiam dela. Conscientize-se das energias dentro de você, sinta seus braços e suas mãos pulsarem com a necessidade e a capacidade de amar e cuidar de tudo o que você vê. Permita que essas energias se espalhem para além de você. Sua referência de "eu" se torna pouco importante se comparada à necessidade de confortar, proteger e ajudar os outros, além de amenizar a dor e o medo deles.

Lentamente, traga a consciência de volta para seu entorno, retendo os sentimentos de amor e de paz.

PALAVRAS-CHAVE
Vida, cuidado, compaixão, amor, nutrir, força, irradiação, Lua cheia, alimentar, sustentar, doar, útero aberto, vaca, abelha, fertilidade, natureza, terra, receptividade, sabedoria, conselho, fruta.

A fase da Feiticeira

Para algumas mulheres, a fase da Feiticeira pode ser a mais dramática de todas e gerar maior impacto em sua vida cotidiana. Como na fase da Donzela, a Feiticeira é o período da energia dinâmica que, de maneira gradual, se altera à medida que a fase progride. No entanto, diferentemente das energias da Donzela, orientadas para o exterior, as energias da Feiticeira são orientadas para o interior. A força e a disposição física são reduzidas pouco a pouco e, à medida que essa fase avança, você pode ficar mais agitada e cansada, com uma necessidade crescente de realizar alguma atividade, porém sem se direcionar de fato a isso. O cansaço e a agitação podem levar à raiva, à frustração, à autoanálise destrutiva, à culpa e à autorrejeição, todas causadas pelos efeitos que esses sintomas podem ter em outras pessoas.

Ainda que você precise dormir cada vez mais, a mente está cansada e hiperativa demais para relaxar. Essa atividade mental reflete a crescente energia criativa em seu corpo, que pode levar à destruição caso não lhe seja permitido encontrar uma expressão e uma forma positiva. Algumas mulheres podem se descobrir menos capazes de superar os problemas e as pressões da vida, em especial ao se aproximarem do fim dessa fase.

Durante a fase da Feiticeira, a mulher também pode achar que sua sexualidade se torna muito intensa. Ela pode se sentir incrivelmente sensual, mas, de forma distinta da sexualidade da Donzela, orientada para a diversão e a extroversão, a da Feiticeira está num nível mais primário. Ela pode se autoafirmar com esse poder sexual, pode provocar e seduzir e também encarnar a sedutora original, cujo poder parece ao mesmo tempo tentador e assustador aos olhos dos homens. A sexualidade da Feiticeira pode se tornar agressiva, exigente ou mesmo vampiresca e é direcionada para a autogratificação. A energia, que no início do ciclo poderia ser mais sensual, torna-se mais erótica à medida que o ciclo se aproxima do final. A Feiticeira é mais disposta a participar de práticas eróticas, em geral com um senso de ousadia e certa falta de responsabilidade.

Nesse período, é possível que as mulheres se tornem muito mais conscientes de sua própria natureza interior e podem também sentir a necessidade de aprender ou praticar coisas de natureza espiritual ou intuitiva. As capacidades psíquicas também se evidenciam, e os sonhos podem apresentar cenários mágicos e conter cores e emoções intensas. As energias geradas durante essa fase são incríveis, em especial mais perto do fim, podendo ser liberadas em explosões intensas, seja de criação, seja de destruição. Por meio da canalização e do controle das energias, é possível garantir que mesmo as forças destrutivas sejam orientadas para um uso criativo.

INTERAÇÃO COM AS ENERGIAS DA FEITICEIRA

Durante a fase da Feiticeira, você pode se sentir sensual, erótica e um pouco "bruxa", pois é capaz de fazer magia com os dedos. Tente expressar esses sentimentos em suas roupas e em sua aparência. Talvez você prefira cores escuras, tecidos macios e fluidos e roupas íntimas pretas e sensuais, que reflitam sua natureza erótica. Use joias para refletir seus sentimentos mágicos. Mais no final da fase, você pode achar que seus seios e sua barriga começam a se arredondar. Como na fase menstrual, vista-se de forma a desviar a atenção dessas formas, caso se sinta desconfortável em deixá-las à vista – ainda que, com a sexualidade amplificada e a sensualidade emergindo em seu corpo, os seios e a barriga mais protuberantes possam ser acolhidos como uma expressão de sua feminilidade.

Com essa fase, vem uma necessidade crescente de direcionar a atenção ao mundo interior, a fim de interagir e aprender mais com ele. O interesse por temas esotéricos, espirituais ou psicológicos cresce e, na busca de um maior entendimento sobre eles, talvez você queira aprender práticas como fitoterapia, aromaterapia, técnicas de cura, astrologia ou radiestesia. Faça buscas em livrarias ou bibliotecas no intuito de encontrar um tema que satisfaça sua necessidade durante essa fase.

Você também pode ficar mais intuitiva ou ter suas capacidades psíquicas mais aguçadas. Assim, pode ter sonhos premonitórios e sentir a necessidade de encontrar algum tipo de estrutura ou válvula de escape para seus sentimentos e experiências. Há muitas formas de adivinhação como oráculos, cartas, tarô, runas, folhas de chá ou bola de cristal. Pode ser útil tentar alguns desses métodos até encontrar o melhor para você. A fase da Feiticeira é um bom momento para aprender sobre adivinhação e praticá-la na vida cotidiana, enquanto a Bruxa Anciã é o melhor momento para usá-la com o objetivo de descobrir seu propósito mais profundo na vida e seu caminho no mês que vem pela frente.

Mais para o final da fase da Feiticeira, a consciência do mundo material é elevada. Você poderá ter os sentidos mais aguçados, originando uma avalanche de ideias criativas que dá ao mundo uma característica quase surreal. Talvez você se sinta mais consciente do lado sobrenatural de cada coisa, tendo a impressão de caminhar entre dois mundos, um visível e outro invisível.

À medida que a fase da Feiticeira avança, seu cansaço em geral aumenta, bem como sua sensibilidade emocional e empática, uma vez que seus níveis de concentração e seus processos de pensamento diminuem. Como consequência, você pode se tornar mais e mais ilógica e emotiva. Ao se perceber hiperativa e agitada, tente praticar relaxamento e técnicas de meditação. O cansaço e a frustração experimentados nessa fase podem vir da restrição às suas energias criativas, as quais naturalmente se acumulam. O relaxamento pode ajudá-la a enfrentar a rotina mas, de modo ideal, a energia precisa ser redirecionada, a fim de ser liberada por meio de uma expressão positiva.

A fase da Feiticeira é o tempo de retraimento das energias físicas e do pensamento intelectual e de liberação das energias criativas e do pensamento intuitivo. Se esses dois aspectos não forem equilibrados, a mulher pode experimentar dramáticas oscilações de humor. Quando reprimidas, as energias criativas encontrarão um modo de extravasamento, muitas vezes por meio de explosões emocionais ou sintomas físicos extremos, acompanhadas de um comportamento exigente, insegurança e hiperatividade sem foco. Esses picos de energia podem ser seguidos de uma oscilação, que traz de volta um declínio ao aspecto retraído dessa fase. Se isso for experimentado de forma negativa, podemos ficar abatidas ou deprimidas. O resultado é uma oscilação dos níveis de energia e dificuldade para manter um nível de energia constante. Canalizando as energias criativas de modo a dar a elas uma válvula de escape na vida e também reconhecendo a necessidade de um retiro, é possível abrandar as alterações de humor ou, pelo menos, vê-las sob uma luz mais positiva.

Se possível, tente buscar uma expressão criativa nessa fase do ciclo, mas esteja preparada para bagunçar tudo ou sentir necessidade de destruir o que fez. Nesse estágio, o importante não é a produção final, e sim *a liberação segura da energia*. As energias criativas podem aparecer com uma urgência tão grande que levam a um comportamento compulsivo, quase maníaco, por meio do qual a liberação da energia criativa, seguida em geral pela destruição da criação, pode trazer um alívio bem-vindo. A energia acumulada também pode ser liberada por meio da atividade física, mas, como nessa fase ela vem em forma de explosões repentinas, o vigor não costuma durar muito. Métodos de liberação que usem e guiem as energias criativas, e com frequência explosivas, do ciclo menstrual serão considerados com mais detalhes no Capítulo 5.

Na fase da Feiticeira, você pode ser vista como uma mulher repreensiva, ciumenta, nervosa e de língua afiada (como a Mulher Grou). Sua intolerância nasce com frequência da frustração e da raiva pelo mundano, por ele não ser capaz de satisfazer suas necessidades. Ela quer romper com os níveis superficiais da vida e da sociedade, com a intenção de chegar ao âmago das coisas. Essa mulher, com frequência, tenderá a exprimir a própria opinião e dizer a verdade sem pensar, com pouca consideração pelos sentimentos dos outros – ainda que mais tarde ela possa se arrepender disso. Os incômodos triviais e cotidianos com os quais ela lida com certa facilidade durante as outras fases do ciclo podem crescer além da medida, causando confusão e a levando a magoar o parceiro, familiares e amigos. A mulher pode se tornar muito invasiva, e para ela a exatidão é muito importante, o que pode fazer com que o parceiro e familiares se sintam incapazes de fazer qualquer coisa corretamente. A conduta de uma mulher nesse período reflete sua necessidade básica de mudança e crescimento pessoal, de aceitação de sua natureza cíclica e das energias que se transformam.

Se por meio de sua Mandala Lunar você descobrir que tem esse tipo de comportamento em alguns dias do ciclo, tente evitar conversas profundas ou íntimas nesses dias.

Talvez você se sinta menos sociável e pouco disposta a dar seu tempo aos outros, expressando sua necessidade de se retirar para o seu mundo interior. Se possível, encontre tempo para si mesma, para se afastar das pessoas, relaxar e se reconectar com as profundezas interiores do seu ser, longe das tempestades provocadas pelo seu temperamento neste momento. Para expulsar as tensões do seu corpo, tente usar as mesmas técnicas sugeridas para as dores associadas à menstruação e, a fim de ajudar a equilibrar suas energias, use a "Visualização do cinturão" apresentado no fim deste capítulo. Os exercícios "Conscientize-se de seu útero" e "A Árvore do Útero" também podem ajudá-la a reconectar sua consciência com seu corpo e seu ciclo, se você perceber que está alienada deles.

Tente fazer uma pausa nas pressões diárias no intuito de olhar para a sua vida e decidir quais mudanças precisam ser feitas. Use sua intolerância para suprimir pressões, compromissos e aspectos das relações que não são mais necessários ou que lhe causam problemas. Decida realizar uma mudança em sua vida, ainda que pequena, e olhe na direção da fase da Bruxa Anciã a fim de passar de uma vida velha para uma nova.

Ao se aproximar da menstruação, tente dormir mais e evite trabalhos que requeiram concentração por longos períodos de tempo ou que exijam maior coordenação. Talvez você também esteja vivendo num nível mais emocional, então tente organizar sua vida para que as tensões em suas emoções sejam diminuídas.

À medida que a menstruação se aproxima, talvez você perceba que seu impulso sexual aumenta. Se você tem um parceiro, procure encontrar um tempo para desfrutar do sexo. A frustração e a agitação sentidas nesse período podem se manifestar por meio de uma sexualidade agressiva e exigente, o que para alguns homens pode não ser atraente. O ato sexual pode liberar parte da frustração, mas talvez você perceba que tem uma necessidade compulsiva de reafirmação do amor e da fidelidade do seu parceiro. Em vez de esperar que ele atenda às suas necessidades, use sua sexualidade para o romance, para seduzir, para tomar a iniciativa, para se tornar mais aventureira e excitante. Você poderá descobrir que, uma vez desinibida e liberta, sua sexualidade selvagem poderá lhe propiciar uma experiência que normalmente não ocorre na vida cotidiana.

A fase da Feiticeira também traz um aspecto destrutivo para as energias. Se permitirmos que elas fluam, podemos alcançar o equilíbrio, transformando-as em criação, liberando-as de forma inócua por meio de atividades ou focando para que destruam algo de maneira controlada. Essas energias destrutivas podem ser usadas para levar embora o velho e o indesejável de sua vida, rompendo as amarras que ainda a prendem. Algumas mulheres descobrirão que tendem a limpar a casa logo antes da menstruação, expressando de forma subconsciente a necessidade de pôr um fim ao ciclo antigo, de limpar os detritos que ficaram e se preparar para o novo ciclo. Essa fase pede mudança, no ambiente, na rotina ou nas relações, o que pode ser para o seu próprio bem. Se o mês anterior tiver sido traumático por qualquer razão, a necessidade de se libertar de velhas emoções pode ser expressa pela mudança em sua aparência geral. Cortar ou pintar o cabelo, por exemplo, pode ter liberado seu velho eu, permitindo-lhe enfrentar o novo mês já livre do passado.

Durante outras fases do ciclo, a mudança pode parecer assustadora, mas na fase da Feiticeira costuma ser necessária e bem-vinda. Essa fase detém um fio de verdade, capaz de lhe permitir ver além das camadas de ilusão e de se dar conta de como algumas áreas de sua vida podem ser transformadas. A Feiticeira percebe que as coisas não são estáticas e que a morte do velho é necessária para o nascimento do novo.

A fase da Feiticeira traz um declínio da luz, do aspecto extrovertido da natureza da mulher, para a escuridão, para o aspecto interior. Se uma mulher não é capaz de realizar essa descida, seja por ignorar a mudança que ela mesma atravessa, seja por reprimir o aspecto mais sombrio de sua natureza, então o vínculo entre seu corpo, sua mente e seu ciclo se quebra. As energias que poderiam ser expressas pela mente consciente ficam detidas e costumam ser forçadas a encontrar sua própria expressão por meio de um comportamento autodestrutivo. Muitas mulheres se odeiam devido ao efeito que seu comportamento tem sobre os outros e porque seu corpo parece incapaz de funcionar normalmente e de parecer "normal". Esse processo inicia um ciclo vicioso de destruição. Quanto mais uma mulher odeia sua própria natureza e seu corpo, mais ela nega a expressão das energias de suas fases, que então encontram uma válvula de escape nos mesmos comportamentos que ela odeia em si mesma. *Para romper esse ciclo vicioso, a mulher precisa encontrar sua verdadeira natureza e se permitir agir de acordo com ela.*

Nesse período, o mundo interior da mulher se torna mais importante e mais próximo à sua mente consciente. Dentro de sua escuridão, habitam fortes energias que podem criar ou destruir. A mulher que não é capaz de expressar as energias da Feiticeira poderá descobrir que essas energias tomam forma em sua vida de maneira negativa. Ela pode se descobrir com tendências destrutivas que se manifestam mental ou fisicamente, levando-a a impor ou infringir a si mesma toda sorte de danos, violência, transtornos alimentares ou comportamento maníaco ou compulsivo. Se, por outro lado, a mulher permitir que as energias da Feiticeira dominem sua vida, ela pode se tornar agressiva e dominadora, demonstrando intolerância com as outras pessoas. Ela pode criar relações de curto prazo, de cunho apenas sexual, e buscar uma variação e uma mudança constantes. Essa mulher também pode ser extremamente criativa, mas de maneira compulsiva, incontrolável e pouco confiável.

> **Exercício: Meditação da Feiticeira**
>
> Sentada numa cadeira, relaxe e tome consciência da escuridão dentro de você. Nela, você vê uma porta em forma de lente, a partir da qual feixes de uma luz branca e brilhante penetram a escuridão. Enquanto observa, você nota que os feixes de luz que irradiam da porta se unem ao facho de escuridão que flui na direção dela. Ali mesmo, na porta, a escuridão se torna luz, e a luz se torna escuridão; criação e destruição se combinam. Você sente a interação entre as energias de escuridão e luz dentro da sua mente e do seu corpo e o constante movimento gerado por ela. Você sente a energia do seu útero elevar-se para as suas mãos e pulsar na ponta dos seus dedos. Aceite dentro de si o fato de que a energia tem o poder de criar e destruir e que você tem o controle e a responsabilidade pelo modo como ela será liberada. Enquanto você retorna ao mundo exterior, perceba a beleza da escuridão dentro de você e a energia que se origina dela.

PALAVRAS-CHAVE

Magia, bruxaria, psique, intuição, mundo interior, destruição, criação, Kali, Hécate, outono, Perséfone, serpente, dragão, coruja, Lua minguante, declínio, Feiticeira, sedutora.

O ciclo contínuo

A mulher tem necessidade de se sentir conectada à sua verdadeira natureza, às suas forças criativas, ao seu corpo e ao seu lugar na natureza. Se essa necessidade for ignorada, ela pode acabar se expressando por meio de um comportamento negativo. Descobrindo, por meio da Mandala Lunar, quais são as suas necessidades e tentando satisfazê-las, a mulher pode aprender a conduzir suas energias e seu comportamento. Com certeza há mulheres que precisam de ajuda e orientação médica extra, tanto para problemas físicos quanto mentais. No entanto, aquela que se torna consciente dos seus próprios problemas cíclicos e das suas necessidades é mais capaz de procurar a ajuda apropriada.

As energias pessoais das fases do ciclo não devem ser examinadas de modo isolado, e sim serem vistas como um todo. Como no ciclo lunar, não é possível ver a completude do ciclo menstrual a qualquer momento, mas algumas das fases são visíveis, e todas as fases fluem de uma para a outra num movimento contínuo. Cada mulher é o ciclo inteiro, ela é luz e escuridão, mas, *em cada situação específica, ela só pode ser vista sob a luz da fase que está atravessando naquele momento.* As mulheres precisam se identificar mentalmente com esse ciclo e equilibrar, assim, as diferentes energias e fases, de forma a usar os melhores momentos a cada mês para as tarefas mais apropriadas e as demandas de cada estilo de vida.

LEVE EM CONSIDERAÇÃO SEU CICLO PESSOAL

Conforme vimos, há *momentos* ótimos durante o mês para certas atividades. Ao partir dos registros da sua própria Mandala Lunar, você será capaz de identificar seus momentos de força e começará a perceber que eles são parte de um padrão repetitivo. Se você descobrir que na fase menstrual não consegue lidar muito bem com a família ou seu ambiente de trabalho, o simples fato de saber que em poucos dias entrará numa fase de grande atividade mental e física pode aliviar um pouco a pressão mental. Para alguém que usa a criatividade no trabalho, a mudança de uma fase de criatividade ativa para uma passiva pode ser assustadora, até que ela perceba que a fase ativa retornará ou que sua criatividade simplesmente tomou outra forma. O aspecto mais importante enfatizado pela Mandala Lunar é que *não há nada errado com você.*

Poderíamos descrever a visão tradicional, linear, de um período – por exemplo, um ano – como uma série de trabalhos ou projetos, cada um atravessado por períodos de motivação alta ou baixa, até se completarem. No entanto, se você enxergar o ano como uma sequência repetitiva de ciclos, será possível organizar as tarefas de forma que cada uma receba a atenção e a energia apropriada em cada fase do seu ciclo; *assim o trabalho pode ser mantido com altos níveis de realização e de habilidade no decorrer do ano.*

A fase da Donzela pode ser usada para analisar e desenvolver novos projetos e aumentar o entusiasmo; a fase da Mãe é o momento de manter projetos e apoiar relacionamentos; a fase da Feiticeira pode ser utilizada para a destruição e uma elevada criatividade; e, por fim, a fase da Bruxa Anciã é um momento ótimo para liberar o velho e desatualizado e desenvolver novos *insights* e nova direção. Ainda que, obviamente, essa abordagem não seja possível quando trabalhamos com prazos rígidos ou sob circunstâncias de maior pressão, o uso ativo do ciclo poderá trazer maior inspiração e satisfação a seu trabalho e suas ideias no caso de projetos menos rígidos ou a longo prazo.

AUTODESENVOLVIMENTO E CRESCIMENTO

As quatro fases do seu ciclo também lhe oferecem uma oportunidade para avaliar a sua vida uma vez por mês e realizar as mudanças necessárias. A fase da Feiticeira é o momento de rever seus projetos e ações e decidir o que precisa ser alterado. A fase da Bruxa Anciã é o momento de luto pela vida que passou, de aceitar mentalmente as mudanças e refletir sobre o futuro. A fase da Donzela é o tempo de fazer as mudanças físicas. A fase da Mãe permite que sua mudança se realize.

Ao ser verdadeira com todos os aspectos da sua natureza, você percebe que pode ser autoconfiante, ativa e forte, que pode nutrir sem ser fraca, que pode ser selvagem e instintiva, além de calma e racional, e que você tem uma bela escuridão dentro de si mesma, profundezas que vão além do mundano.

Exercício

Após ler essa seção e construir suas Mandalas Lunares, talvez seja útil reler a história "O Despertar" para obter uma síntese das energias do ciclo menstrual.

EXPANDA A MANDALA LUNAR

A Mandala Lunar pode se tornar mais do que uma série de observações. Ela pode ser fonte de expressão do seu ciclo mensal e mesmo uma obra de arte viva. No fim da seção "A Mandala Lunar", sugere-se utilizar lápis coloridos em sua mandala como forma de enfatizar as diferentes fases. Essa ideia pode ser levada um estágio adiante, a fim de produzir uma roda simbólica das suas próprias energias.

Ao usar sua Mandala Lunar colorida como base e incluir nela as fases da Lua, deixando de lado a numeração, a roda se torna um símbolo do seu ciclo, em vez de um recurso para observação. Adicione à mandala qualquer símbolo, cor ou imagem que expresse como você se sente em cada fase. Use frases ou palavras, fotografias ou objetos naturais caso não possa desenhar. Talvez você queira se referir às palavras-chave sobre as diferentes fases, listadas ao final de cada seção, ou estudar a Figura 6. Esse símbolo da Mandala Lunar pode ser simples ou complicado, como desejar. Ele pode ser desenhado em papel, em madeira ou pedra e pode ser de qualquer tamanho. Complete a imagem com um pequeno círculo central que represente seu eu interior. A imagem criada representa suas próprias energias cíclicas e, ao usá-las numa meditação ou apenas olhar para ela, você poderá se lembrar de todos os seus aspectos.

Talvez você queira expressar o símbolo da Mandala Lunar numa forma tridimensional, como um cinturão ou um colar. Escolha contas diferentes para representar cada uma das fases lunares e as enfie numa tira de couro, deixando uma certa distância entre elas. Use linhas, contas, miçangas

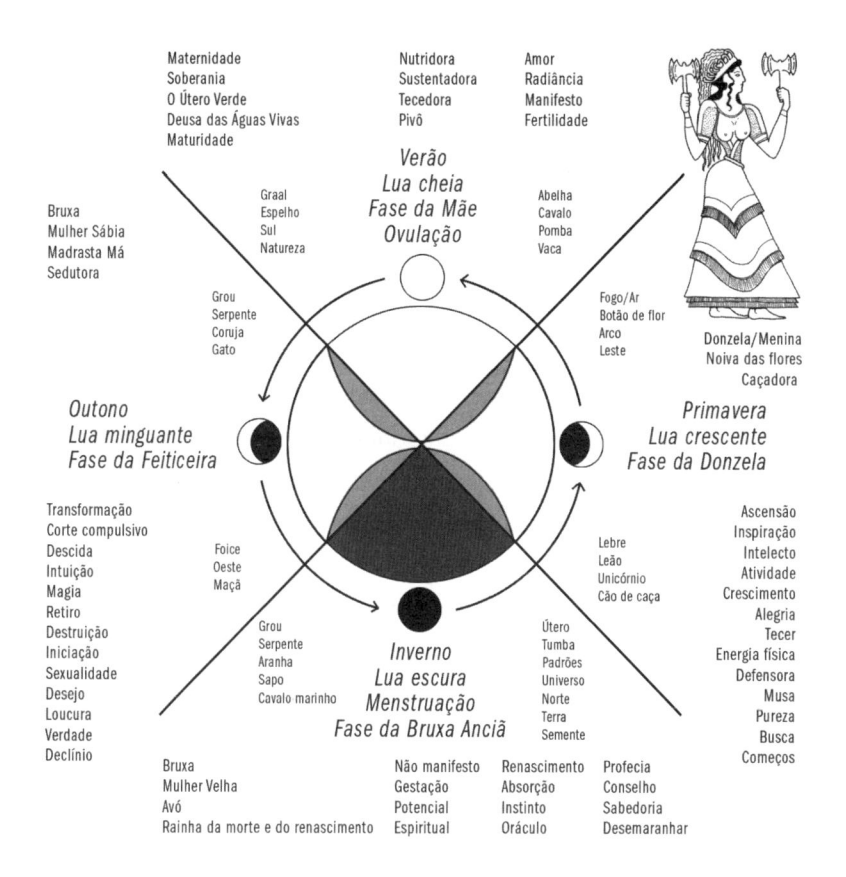

```
                    Maternidade              Nutridora        Amor
                    Soberania                Sustentadora     Radiância
                    O Útero Verde            Tecedora         Manifesto
                    Deusa das Águas Vivas    Pivô             Fertilidade
                    Maturidade
                                             Verão
                              Graal          Lua cheia
    Bruxa                     Espelho        Fase da Mãe      Abelha
    Mulher Sábia              Sul                             Cavalo
    Madrasta Má               Natureza       Ovulação         Pomba
    Sedutora                                                  Vaca
                      Grou                                          Fogo/Ar
                      Serpente                                      Botão de flor
                      Coruja                                        Arco
                      Gato                                          Leste        Donzela/Menina
                                                                                 Noiva das flores
                                                                                 Caçadora
   Outono                                                          Primavera
   Lua minguante                                                   Lua crescente
   Fase da Feiticeira                                              Fase da Donzela

   Transformação                                                                 Ascensão
   Corte compulsivo                                      Lebre                   Inspiração
   Descida                 Foice                         Leão                    Intelecto
   Intuição                Oeste                         Unicórnio               Atividade
   Magia                   Maçã                          Cão de caça             Crescimento
   Retiro                                                                        Alegria
   Destruição        Grou                          Útero                         Tecer
   Iniciação         Serpente      Inverno         Tumba                         Energia física
   Sexualidade       Aranha        Lua escura      Padrões                       Defensora
   Desejo            Sapo                          Universo                      Musa
   Loucura           Cavalo marinho Menstruação    Norte                         Pureza
   Verdade                         Fase da Bruxa Anciã Terra                     Busca
   Declínio                                        Semente                       Começos
                 Bruxa                  Não manifesto   Renascimento  Profecia
                 Mulher Velha           Gestação        Absorção      Conselho
                 Avó                    Potencial       Instinto      Sabedoria
                 Rainha da morte e do renascimento  Espiritual  Oráculo  Desemaranhar
```

Figura 6. Associações da Mandala Lunar

e artefatos de cores diferentes, a fim de representar as diferentes energias e associações que você desenvolveu com cada uma das fases. Amarre-as à tira de couro entre as contas das fases lunares. Você talvez ache mais fácil adaptar um cinturão ou um colar já pronto. Se possível, tente fazer cada seção desse cinturão ou colar durante a fase apropriada do seu ciclo. Isso tornará mais fácil expressar suas sensações a respeito dessa fase, em vez de apenas tentar se lembrar de como se sentiu. Ao amarrar as duas extremidades em volta do quadril ou do pescoço, você completará o círculo do seu ciclo e, de pé dentro desse círculo, você será *o ponto de equilíbrio das suas energias cíclicas.*

Exercício: Visualização do Cinturão

Sente-se usando seu cinturão e permita-se relaxar lentamente. Conscientize-se da escuridão interior e sinta-se confortável e em equilíbrio. Visualize-se de pé no centro de uma grande planície escura. Acima de você, note os pontinhos pequeninos das estrelas na abóbada celeste. À sua frente, no leste, as estrelas brilham com a luz de uma Lua crescente que se ergue. Permita que as imagens que você associa a essa fase apareçam diante de você; isso pode incluir animais, cores, músicas, pessoas, deusas ou cenários. Permita que eles apareçam na planície, talvez alguns à luz do dia, outros sob a luz da Lua. Sinta as energias associadas a essa fase que se intensificam no seu corpo. Talvez você queira interagir de alguma forma com as imagens.

Quando se sentir pronta, retorne à posição original e volte-se para o sul. À medida que você se vira, sinta as energias do seu corpo que fluem e se alteram. Diante de você, há uma grande Lua da Colheita, a *Harvest Moon*, num céu de um azul-marinho profundo. Permita que as imagens associadas a essa fase apareçam na planície e que as energias possam emergir em seu corpo. Quando estiver pronta, volte-se para o oeste e repita o procedimento enquanto observa as pontas da Lua minguante em formato de chifres. Finalmente, vire-se para a escuridão do norte, com suas estrelas, e permita que sua consciência dê contorno e forma às energias e aos sentimentos. Esteja consciente da luz das fases da Lua atrás de você e em ambos os lados, e então direcione sua consciência para você, no centro da planície.

Ao seu redor estão as energias e personalidades que estiveram com você no decorrer do mês. Reconheça-se como Donzela, Mãe, Feiticeira e Bruxa Anciã e tome consciência de que esses "eus" são partes iguais de você mesma. Enquanto permanece no centro, esteja consciente de que você está fora dessas personalidades, ainda que as ondas de energia tenham suas quedas e sigam o fluxo ao seu redor; o essencial é que você permaneça firme no centro. Dirija sua consciência de volta ao ciclo e sinta as energias a seu redor, dando-se conta de que você não mais precisa ser um barco arremessado pelas correntezas, com ondas que a derrubam todos os dias. Você agora é capaz de perceber as correntes, de preparar seu barco e seu leme e de *lidar de forma harmoniosa com as energias a fim de dirigir seu próprio curso.*

Circundando a borda da planície, observe uma grande serpente colorida que ondula com o fluxo das energias. Conscientize-se do cinturão cingindo a sua cintura e permita que ele se sobreponha à cena ao seu redor como símbolo do ciclo de energias que você mantém em equilíbrio. Quando estiver pronta, traga suavemente a consciência de volta ao seu corpo.

Dessa forma, o cinturão se torna uma conexão ativa com seu ciclo e um modo de reequilibrar as energias cíclicas ou de se reconectar com elas. A expressão do seu ciclo mudará no decorrer da sua vida, e em algum momento você precisará pintar outro símbolo ou fazer outro colar ou cinturão. A intenção não é que esses objetos sejam estáticos, nem que eles limitem seu ciclo, mas que sejam uma forma de expressão do seu ciclo naquele momento. Ao fim da menstruação, seja por causa da menopausa ou da gravidez, essa expressão precisa ser desfeita para que se encontre uma nova forma. O objeto por si só não é sagrado. O ciclo que ele expressa e o processo de fazê-lo, sim, são sagrados. Os últimos fios ou contas do cinturão de uma avó podem ser tecidos nos fios do cinturão da filha, e a mãe pode fazer o primeiro cinturão da filha usando alguns fios do seu próprio. O cinturão, desse modo, torna-se não apenas um símbolo da natureza cíclica da mulher, mas também uma tradição viva.

APROFUNDE O SEU TRABALHO COM AS ENERGIAS

Após completar os exercícios de *Lua Vermelha*, talvez você deseje continuar trabalhando com suas energias menstruais. Este livro pode oferecer apenas um apanhado de ideias e inspirações ligadas ao ciclo menstrual, e há muita coisa a ser descoberta individualmente ou reaprendida dentro de um grupo. O conceito de diário pode ser levado além dos primeiros meses e usado com o objetivo de refletir sobre as influências de nosso ciclo a longo prazo.

Durante o ano, observe se uma estação em particular surte algum efeito sobre suas fases. Note se, com a entrada da Lua nos diferentes signos do zodíaco, você sente uma influência em seu ciclo e suas energias. Se você participa de um grupo de mulheres há muito tempo ou tem uma relação próxima com uma mulher, veja se o ciclo de vocês entra em ressonância. Se você se tornar mãe, repare se as energias do seu ciclo mudam. Note também se a orientação do seu ciclo muda dependendo de suas aspirações e objetivos na vida.

A influência de mais longo prazo no ciclo de uma mulher são claramente as fases da vida dela. A identificação das fases e energias menstruais lhe possibilitará passar por cada uma das fases da sua vida com maior facilidade. A mudança de Donzela para Mãe e de Feiticeira para Bruxa Anciã serão mais facilmente aceitas com a compreensão da passagem do ciclo. Assim ela vive de forma plena as energias da fase pela qual acabou de passar e antecipa as energias que virão na nova fase. Ao vivenciar a completude do ciclo dentro de si, a mulher é capaz de vê-lo e de entrar em empatia com sua expressão em meninas, mães e mulheres mais velhas ao seu redor e perceber que o ciclo é um todo contínuo que atravessa o tempo.

CINCO

A Lua Criativa

A CRIATIVIDADE DAS MULHERES

O CONCEITO DA LUA COMO FONTE do espírito criativo foi uma das ideias mais antigas expressas pela humanidade. Tal ideia ainda sobrevive e pode ser encontrada em algumas culturas atuais, bem como nas suas lendas e mitologia. A ligação entre a criatividade das mulheres e a Lua era observada no ciclo repetitivo da energia criativa, que mudava de forma no decorrer do ciclo menstrual feminino. Essas energias davam a cada mulher a capacidade de criar, ou seja, de trazer ao ser o não manifesto, seja ele uma ideia, um entendimento ou a própria vida. A energia criativa formou uma ponte entre o mundo tangível e o intangível e encontrou expressão por meio do intelecto, das emoções, da intuição, do subconsciente e do corpo, dependendo da fase específica do ciclo feminino. Reconhecia-se que a criatividade, a sexualidade e a espiritualidade da mulher emergiam do seu próprio corpo e dos seus ritmos, e que as energias criativas conectadas à sua sexualidade reforçavam o ciclo menstrual que renovava a própria vida a cada mês.

Muitas mulheres modernas acreditam não ser nada criativas e podem até rejeitar qualquer atividade que considerem "criativa". No entanto, as energias criativas não se expressam apenas quando pintamos figuras, tocamos instrumentos ou escrevemos poesia. Elas são ativas no decorrer da vida da mulher, não importando se sua expressão é vista como criativa ou não. Todas as mulheres têm a capacidade de criar, mas a forma como cada uma se relaciona com esse potencial depende da consciência das próprias energias criativas e da sua conexão com seu corpo, sua sexualidade e sua espiritualidade. Muitas mulheres têm uma visão limitada da criatividade, não por causa da percepção de suas próprias capacidades ou incapacidades, mas por causa da visão limitante que a sociedade impõe sobre os resultados da criatividade. A criatividade não é expressa num produto, mas no *processo* de dar forma a ele. É o *dar forma à experiência do seu eu interior, em relação ao mundo a seu redor*, seja numa forma tangível, como na geração de uma criança ou numa pintura, seja numa forma intangível, como numa ideia, um relacionamento ou uma dança.

A forma inconstante da sua sexualidade ao longo do mês altera a percepção que a mulher tem da vida e gera mudanças também em sua consciência e em suas experiências, bem como na sua expressão das energias criativas interiores. As energias da fase da Donzela são iniciadoras e visionárias; as da fase da Mãe são físicas e emocionais; as da Feiticeira, dinâmicas e intuitivas; e as da fase da Bruxa Anciã, instintivas e espirituais. Essas energias são despertadas por meio do corpo e da mente da mulher a cada mês, e não são separadas

das energias criativas da sua sexualidade e sensualidade. No ápice da experiência sexual e erótica de cada mulher, dentro de seu ciclo mensal, sua percepção do mundo pode produzir suas expressões mais criativas e espirituais.

Os ciclos da sexualidade, da espiritualidade e da consciência criativa passam a ser inseparáveis numa mulher que vive sua verdadeira natureza. Essa natureza é para expressar a sua consciência, dar forma às suas necessidades e sentimentos, celebrar sua alegria pela vida e pelo desfrutar do seu corpo e expressar a relação dela com o mundo. A criatividade das mulheres, vista como um processo que reflete a experiência da vida e a verdadeira natureza feminina, não limitará a visão da arte a um produto da criatividade, a algumas pinturas abstratas numa galeria cara. Ao contrário, essa perspectiva irá expandir esse conceito a fim de incluir todos os aspectos das capacidades de uma mulher e de sua própria vida.

"Arte" pode ser qualquer forma por meio da qual a energia de uma mulher se expresse, e todas as formas de expressão são válidas, independentemente de sua forma física e da habilidade relativa que a mulher tenha para expressá-la. A pintura de uma amadora, com poucas habilidades técnicas, é tão válida quanto a pintura feita por uma mulher de grande talento, assim como escrever um poema de amor é tão válido quanto propor a solução para um problema ou assar um bolo. Se a "arte" é vista como a expressão das energias criativas por meio das experiências físicas e interiores e também da consciência da vida, então a divisão entre arte e vida se dissolve, e todos os aspectos da vida se tornam arte. Uma pessoa dos tempos modernos que visite um museu, por exemplo, poderá muito bem se impressionar com a beleza dos adornos com os quais as culturas antigas decoravam seus utensílios

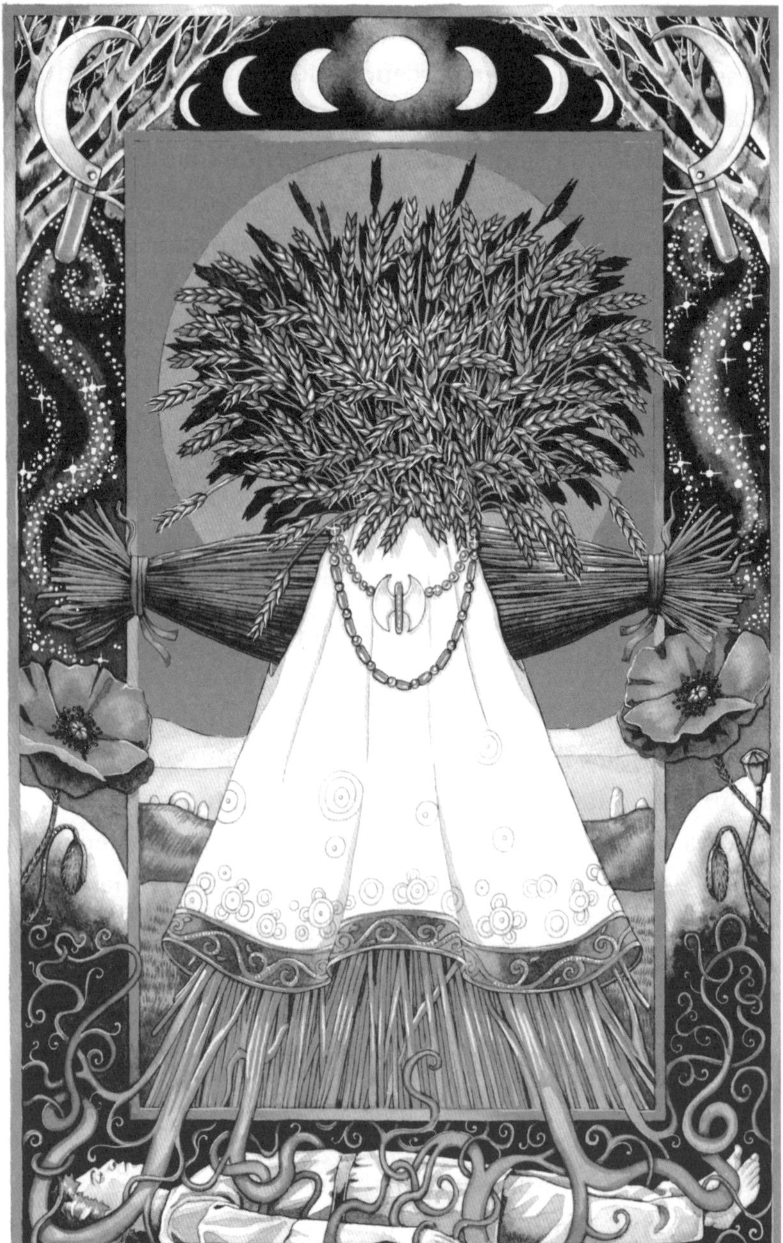

domésticos mais básicos. Para essas culturas, a arte era uma expressão da vida e ela se refletia em todos os aspectos da sua própria vida.

Na sociedade moderna, a expressão das energias criativas foi tristemente restringida pela percepção do produto criado. Com frequência, é um requisito que o produto tenha um "significado", uma razão intelectual, para que seu valor seja reconhecido. Assim, a experiência de ambos, produtor e receptor, agrega um valor insignificante à forma artística, muito aquém do que ela merece. Essa limitação do valor percebido na arte resultou numa sociedade que deixou de valorizar ou respeitar muitas das formas criativas femininas tradicionais. A visão moderna da arte se restringe a habilidades técnicas e percepção intelectual, que vão além das capacidades de uma pessoa normal. Contudo, as artes tradicionais das mulheres são amplamente difundidas e estão disponíveis para todas.

Artes tradicionais femininas

As habilidades criativas tradicionais das mulheres eram, em sua origem, uma expressão de suas energias criativas aplicadas a áreas da sobrevivência, da tradição, da beleza, da compreensão, da maternidade, do *insight* e da sabedoria, e refletiam as experiências das mulheres e a interação com a vida. No passado, essas aptidões e a capacidade criativa feminina eram respeitadas e consideradas vitais para a sobrevivência da tribo e reconhecidas como um reflexo da Divindade. As mulheres proviam a estabilidade e eram o manancial da comunidade; elas tornavam o lar um lugar de segurança, conforto e pertencimento e, em muitas culturas, em especial as culturas nômades, construíam seus lares, provendo abrigo para sua família e seu homem.

As mulheres proviam o alimento, plantando, cuidando das lavouras e cultivando a terra. Elas cozinhavam, muitas vezes tratando alimentos que, até então, não eram adequados ao consumo, e preservavam e estocavam comida para viabilizar a sobrevivência no inverno. Por meio do seu conhecimento das plantas, eram capazes de oferecer cura e bem-estar. As mulheres usavam os recursos à sua volta para fazer o necessário à sobrevivência e ao conforto; as peles eram usadas na construção de utensílios domésticos, vestuário e decoração e mais tarde começou-se a fiar a lã de cabras e ovelhas domesticadas, para se fazer, depois, o tecido.

Na maioria das vezes, eram as mulheres que tradicionalmente faziam os colchões e os cestos tecidos com ramos e junco, bem como os recipientes que serviam para armazenar alimentos e para cozinhar e carregar água. Seus instrumentos e os produtos do seu trabalho eram decorados com o objetivo de refletir a beleza do mundo ao redor, e muitas vezes suas tarefas assumiam um papel devocional na expressão religiosa dessas mulheres. Essas habilidades para decoração não eram importantes para a sobrevivência direta e o bem-estar físico da família, mas levavam a consciência de beleza à comunidade e, posteriormente, se tornaram recursos importantes na troca de mercadorias entre os povoados.

As mulheres também criavam a família, não apenas dando à luz as crianças que continuariam a linhagem, mas também dando a elas o senso de pertencimento. As relações criadas entre as mulheres se tornaram fonte de estrutura e de ajuda, apoio e cuidado em tempos de necessidade. A capacidade feminina de garantir a continuidade da vida trouxe os conceitos de continuidade e ancestralidade, e as mulheres também eram responsáveis por passar adiante as habilidades e tradições necessárias à sobrevivência das crianças. A mulher que pertencia a uma tribo ajudava a criar compreensão nessas crianças acerca do papel da humanidade na natureza, criando as tradições futuras e a personalidade da comunidade.

Mesmo com o aumento do domínio masculino, as habilidades criativas femininas ainda eram procuradas, mesmo que tivessem perdido grande parte do respeito que inspiravam e seu lugar na sociedade. As mulheres se tornaram produtoras, não só de mercadorias, mas de seus lares, de seus herdeiros, de seu vestuário e da sua alimentação, e qualquer coisa que elas produziam se tornava de imediato propriedade dos homens. Sua capacidade "mágica" para criar foi ofuscada pela propriedade do que elas criavam. Dessa forma, a expressão ativa das energias criativas femininas na sociedade, por meio de seu intelecto ou espiritualidade, foi negada. As mulheres ainda tinham importância por gerar os filhos, em particular de herdeiros varões, mas seu talento para ajudar a criar a personalidade e o conhecimento de suas crianças foi tomado pela sociedade masculina.

Até os anos 1960, as mulheres da sociedade ocidental tinham valor porque cuidavam da casa e dos filhos, ainda que sua expressão intelectual, sexual, espiritual e criativa se limitasse muitas vezes à ideia de "manter o marido e a família felizes". As mulheres ainda usavam suas aptidões para prover alimentos, fazer roupas e artefatos e cuidar da casa e da família, no entanto, exceto nos tempos de guerra e recessão, a importância dessas funções era considerada secundária se comparada ao trabalho e ao papel do homem.

Após os anos 1960 e o surgimento do feminismo, o papel da mulher na sociedade sofreu uma mudança notável. As mulheres começaram a reivindicar oportunidades para usar suas competências em outras áreas além do lar. A imagem da mulher intelectual com habilidades criativas aplicadas à comunicação, à resolução de problemas ou na formação de ideias, estruturas e organizações começou a ganhar algum reconhecimento. Para isso, no entanto, as mulheres precisaram competir com os homens, *nos termos deles*, e o resultado dessa batalha foi a degeneração da última expressão matriarcal: a maternidade e a função de dona de casa. As habilidades criativas tradicionais das mulheres começaram a ser vistas por elas mesmas em termos masculinos, como menos importantes que o trabalho "apropriado", que trazia retorno financeiro. Antes, as habilidades criativas eram o meio de sobrevivência – a expressão da experiência e da compreensão da vida; agora tinham sido reduzidas a *hobbies*.

As energias cíclicas e as habilidades femininas ainda têm muito a oferecer à sociedade moderna, e as mulheres estão começando a compreender e a se expressar uma vez mais nas áreas tradicionais, assim como nas áreas que antes estavam além de sua experiência. No entanto, não há regras rígidas para uma mulher e a expressão de suas energias criativas. Não importa se ela é mãe, diretora de uma empresa, funcionária de um escritório, operária ou uma mulher sábia e curandeira: todas essas funções são partes do ser mulher, e todas podem fazer uso de suas energias cíclicas. Para que a sociedade em geral aceite todas as expressões das energias da mulher, seja ela Donzela, Mãe, Feiticeira ou Bruxa Anciã, é preciso que as mulheres *reconheçam, antes de tudo*, esses aspectos em seu interior, para só então oferecer espaço para outras mulheres e aceitá-los nelas.

O DESPERTAR DAS ENERGIAS CRIATIVAS

A conexão entre o corpo da mulher e sua mente indica que suas energias criativas podem ser desperta pela mente, por meio da visualização e do pensamento, ou pelo corpo, por meio da sua interação sensorial com o mundo a seu redor. Isso significa que alguns métodos usados para despertar as energias criativas podem ser usados também para liberar essas energias.

Para despertar as energias criativas femininas por meio do corpo é preciso atenção, entendimento e a aceitação dessas energias. Por meio das Mandalas Lunares, você pode reconhecer padrões em sua energia sexual/criativa, na forma como reage a ela e a expressa, consciente ou inconscientemente. Compreender que certos comportamentos em alguns momentos do ciclo podem ser a expressão de suas energias criativas é o primeiro passo para despertá-las e usá-las na vida cotidiana.

Algumas mulheres podem já ter consciência da "urgência" criativa em suas vidas, e as Mandalas Lunares podem guiá-las para que descubram seu padrão mensal. As mulheres que não têm consciência dessa urgência vivenciam, da mesma forma, a mudança nos padrões de sua energia criativa durante o ciclo menstrual, mas podem não estar conscientes do que experimentam no fluxo dessas energias e do fato de que, na verdade, elas estão, sim, sendo criativas em suas vidas. No Capítulo 4, consideramos algumas expressões possíveis das energias criativas nas quatro fases do ciclo menstrual; as seções seguintes exploram de modo mais específico as formas pelas quais as energias podem ser liberadas conscientemente.

Antes de poder dar vazão às energias criativas, a mulher precisa ser capaz de despertá-las ou de reconhecer sua existência no momento em que elas emergem no ciclo. Durante o mês, as características e a orientação das energias criativas mudam; a energia radiante e expansiva da fase da Mãe é diferente da introversão profunda da fase da Bruxa Anciã. Uma mulher que esteja atenta a essas mudanças percebe que não perde sua criatividade em alguns momentos, mas que *ela muda de expressão*. Ao reconhecer isso, a mulher pode *ajustar seu estilo de vida de acordo com esse fato, obtendo, assim, o melhor do seu ciclo mensal*. A criatividade das mulheres acompanha o fluxo das suas energias sexuais e criativas, e restringir o fluxo é restringir a expressão de sua natureza criativa.

A forma mais simples que a mulher tem de despertar suas energias criativas é tornar-se *mais* sensual e mais consciente do seu corpo e da sua interação com o mundo ao seu redor. Podemos conseguir isso percebendo as sensações do corpo e a forma como ele reage a texturas e sabores, cheiros e temperaturas. Observe detalhes como a sensação da luz solar na sua pele. Experimente o mundo ao seu redor por meio da sua pele; caminhe com os pés descalços ou nua, se possível. Esteja mais atenta aos sons e perfumes, sinta prazer nas visões, nas formas e nas cores do mundo a seu redor e sinta-se viva! Se você tem um parceiro ou uma família, esteja atenta ao toque e ao cheiro deles. Deixe que sua mente tenha consciência do seu útero, sentindo a posição dele em seu corpo. Talvez você note que durante o mês essa consciência elevada emerge no seu próprio ritmo, acompanhando um período de criatividade.

> **Exercício**
>
> Imagine uma linda tigela de prata sobre o centro da sua bacia pélvica. A tigela é decorada com fios de ouro e está cheia até a borda com água cristalina. Agora, tente caminhar pelo cômodo sem derramar uma única gota da água da tigela.
>
> Note que sua postura muda, seus joelhos se flexionam, você caminha dando impulso com os quadris, e não com os ombros, e observe também como a consciência do seu corpo se intensifica.
>
> No decorrer do dia, mantenha a consciência da tigela sobre o seu ventre enquanto você se movimenta e cumpre suas tarefas. Talvez você perceba que se torna mais graciosa, suave e feminina, não apenas em seus movimentos, mas também em seus pensamentos e suas emoções.

Você também pode usar o movimento da música ou seu ritmo para aumentar a consciência do seu corpo e a habilidade de expressar suas emoções. Se você se sente desconfortável ao dançar, coloque uma música para tocar e apenas permita que seu corpo responda a ela. Deixe de lado o constrangimento, assim como as restrições mentais que você mantém na sua vida cotidiana, e dê ao corpo a liberdade de se mover sem restrições. À medida que você responde à música, use sua voz, quem sabe com gritos e gemidos, a fim de ir mais além na expressão dos sentimentos que a música desperta. Seu movimento não precisa ser complicado e, muitas vezes, o corpo encontrará um movimento fácil adequado a ele. Mesmo uma mudança simples no peso corporal, de um pé para o outro, pode aumentar a atenção voltada ao corpo. Enquanto dança, sinta-se *sexy*, viva e receptiva às energias em seu corpo.

A ligação feminina entre sexualidade e criatividade faz com que o ato de fazer amor com um parceiro seja capaz de despertar as energias criativas de uma mulher. Se você é sexualmente ativa, note a sensualidade elevada que experimenta ao fazer amor e os efeitos que o sexo tem em seus sentimentos, em seu humor e na vida cotidiana.

O senso de consciência elevada também pode ser evocado em sua interação com o mundo natural. Esteja consciente do sentido da vida a seu redor e das sensações e emoções que ela evoca em você. Toque e seja tocada pela vida que existe em seu entorno. Fique em meio à natureza durante a noite e perceba a mudança na percepção que a escuridão, as estrelas e a Lua trazem. Todos esses métodos para despertar as energias criativas podem ser usados separadamente ou em várias combinações na vida cotidiana. Ao aliar todos esses métodos – o senso de consciência elevado sentido em meio à natureza, a dança com a música ritmada e o ato de fazer amor –, formamos a base para os ritos ancestrais de fertilidade.

As energias criativas também podem ser despertas por meio da mente, assim como pelo corpo. As experiências da vida podem desafiá-las e, muitas vezes, um evento dramático, como uma morte na família, pode produzir explosões de criatividade que vêm como uma necessidade compulsiva de liberação. Amplie a consciência do seu estado mental, assim como da interação física com o ambiente. Às vezes, um acontecimento, uma forma, uma visão ou um som será a centelha que ativará um fluxo de energia criativa, que tomará sua própria forma em sua mente, trazendo uma ideia, uma imagem, um *insight* ou uma composição musical. Tente descobrir como outras pessoas expressam suas energias criativas. Visite galerias de arte e esculturas, artesanato, feiras, ópera, teatro, concertos, eventos folclóricos tradicionais, obras arquitetônicas e localidades antigas a fim de se inspirar. Observe como as pessoas expressam sua própria criatividade no mundo cotidiano ao cozinhar, plantar, cuidar e amar. Você poderá descobrir que a expressão criativa delas desperta uma necessidade correspondente dentro de você, o que trará inspiração para focalizar aquela criatividade. Observe todas as expressões de criatividade das outras pessoas com a mente aberta e se liberte de qualquer "pré-conceito" ou ideia de como a "arte" deveria ser.

A visualização pode ser um poderoso instrumento para despertar a criatividade. A visualização "Conscientize-se de seu útero", no Capítulo 4, direciona a atenção da mente para o útero e permite que a energia suba até as mãos, quando estarão prontas para a liberação ou expressão. Essa visualização é simples e, com a prática, pode ser usada a qualquer momento, sempre que a necessidade de se reconectar com as energias criativas vier à tona. Às vezes, a simples visualização de uma imagem ou símbolo que represente as energias criativas permite que a mulher se identifique com elas e as sinta dentro de si. A Árvore do Útero é um exemplo de imagem que pode ser usada para esse propósito. À medida que descobrir mais sobre os símbolos do seu ciclo menstrual, você poderá encontrar imagens que lhe permitirão estabelecer, com facilidade, um *link* entre sua mente e suas energias criativas.

O exercício "Conscientize-se de seu útero" usa a visualização com o objetivo de promover a expressão criativa no mundo físico. A visualização a seguir usa a interação entre a mente e a imagem da Árvore do Útero para aumentar a expressão mental criativa, sob a forma de ideias, *insight*, inspiração e compreensão. A centelha de vida das ideias-filhas é concebida no útero da mente; algumas dessas ideias receberão uma forma física, e outras se tornarão parte do crescimento e do desenvolvimento da mãe.

Ambas as visualizações, a "Conscientize-se de seu útero" e a que vem a seguir, podem ser usadas em qualquer dia do mês, mas talvez você se sinta atraída por uma ou outra durante uma fase específica.

Exercício

A visualização permite que você abra a mente para aceitar o fluxo de energias criativas na forma de ideias. Talvez você receba essas ideias durante a visualização, ou mais tarde, em algum momento da vida diária. Essas são suas ideias-filhas. Você poderá permitir que elas cresçam e depois ganhem forma no mundo manifesto ou que sejam reabsorvidas por você.

Sente-se de maneira confortável e direcione a atenção para seu interior. Permita-se relaxar. Conscientize-se do seu útero e sinta-o em repouso na escuridão do seu corpo. Leve sua atenção à escuridão e, pouco a pouco, tenha consciência de estar de pé diante da sua Árvore do Útero. Passe algum tempo reparando nos detalhes da árvore e na fase atual da Lua em seus ramos.

À sua frente há uma pequena lagoa. Você se ergue nas pontas dos pés para tocar os galhos que se estendem até as margens da lagoa. Ao tocar um galho, as folhas farfalham e você escuta seu nome sendo sussurrado por elas. Ao se voltar para as folhas, você vê uma pequena pomba branca, com o peito rosa pálido, olhando para você com seus olhos de um laranja profundo. Num único movimento gracioso, ela se lança dos galhos e desliza sobre o lago, para então pousar na base da Árvore do Útero. A imagem da pomba branca pousada aos pés da árvore iluminada pela Lua faz com que lembranças se agitem nas profundezas da sua mente.

Uma doce voz feminina dentro da sua cabeça lhe dá as boas-vindas e a convida a cruzar as águas da vida e entrar na escuridão do nascimento. Enquanto essa voz lhe fala, você se conscientiza de uma estrela de luz no centro da sua testa, brilhando luminosa. Do outro lado do poço, uma esfera de luz branca cresce ao redor da pomba, inundando suas penas em chamas de luz. A pomba levanta voo e paira diante do tronco da árvore.

Hesitante, você toca a água com o pé, esperando afundar, mas em vez disso descobre que pode caminhar sobre a superfície da lagoa. Ao alcançar a árvore, você percebe que uma entrada se abriu no tronco e você segue a pomba até as profundezas da terra.

Na escuridão, você sente as paredes do útero, que a envolvem com uma energia reconfortante. Você estende os braços para cima, permitindo que o fluxo de luz e amor que sai da pomba emane para todo o seu corpo. Você se conscientiza do seu ventre e dos seus seios arredondados, como numa gravidez. Você se sente em harmonia e equilíbrio, e percebe as sementes da inspiração que ainda não se formou descansando dentro da sua mente.

> Permaneça nessa posição até se sentir pronta para voltar. Permita que a presença da luz da pomba e da Árvore do Útero se dissolva de maneira gradual e que seu corpo retorne ao tamanho normal. Conscientize-se do seu corpo e da sua posição, respire fundo e abra os olhos. Talvez você ainda sinta a luz remanescente da pomba dentro de você.

Para a maioria das pessoas no mundo moderno, reservar tempo para ser criativo não é uma prioridade. Ao reconhecer que sua natureza é criativa e está ligada à mente por meio de seu corpo e dos seus ciclos, você toma consciência do seu potencial criativo. A menos que você passe algum tempo se conectando às energias criativas e respondendo a elas, elas permanecerão apenas como um potencial. A limitação das energias criativas, em geral, pode causar uma sensação de isolamento, inércia, pouca inspiração, falta de libido e uma consciência debilitada do mundo físico. A repressão das energias criativas nos períodos em que elas são dinâmicas pode causar irritabilidade, frustração, tendências destrutivas e um comportamento compulsivo. Por isso, é importante que cada mulher encontre tempo em sua vida para se conscientizar de suas capacidades criativas e de suas expressões se quiser ser fiel à sua natureza.

LIBERAÇÃO DAS ENERGIAS CRIATIVAS

As energias criativas precisam ser liberadas de forma construtiva, se quisermos alcançar harmonia e equilíbrio. As seções a seguir apresentam diversas maneiras pelas quais essas energias podem ser expressas. A intenção não é abranger tudo, mas oferecer sugestões e ideias que você pode tentar colocar em prática, aceitando-as, rejeitando-as ou construindo algo com base nelas. Ao expressar suas energias criativas, uma mulher aceita as energias da feminilidade, torna-se mais consciente delas e as celebra. Quanto mais a mulher permite que suas energias fluam, mais prontamente elas se tornam disponíveis e será mais fácil perceber os métodos de liberação apropriados para cada uma.

Qualquer que seja o resultado de um processo de liberação, o modo como essas energias vão se expressar ou se manifestar, isso é secundário em comparação à liberação em si. Qualquer ação ou experiência de vida pode ser uma expressão das energias criativas divinas, se você estiver consciente de que está interagindo com sua capacidade criativa. Algumas expressões dessas energias parecerão naturais ou fáceis, outras vão exigir perseverança e prática. É importante encontrar os métodos de expressão adequados para você. Ao aprender quais expressões lhe dão maior satisfação e quais vêm com maior facilidade no momento em que você se sente mais criativa, você poderá administrar seu ciclo e sua vida a fim de fazer o melhor com suas capacidades criativas. *Você então aprende a viver dentro de seu ciclo em vez de lutar contra ele, tentar consertá-lo, reprimi-lo ou fugir dele.*

Entusiasmo e criatividade estão intimamente ligados, e pode haver uma compulsão para liberar as energias criativas quando a inspiração faz brotar uma ideia ou a necessidade de criar aparece. À medida que a fase de criatividade dinâmica passa, é normal que o entusiasmo pela ideia também termine, a menos que não tenhamos feito algo para colocá-la em prática. Ainda que a ideia, ou o ato de expressão, possa ser desenvolvido numa ocasião posterior, será mais difícil despertar o mesmo entusiasmo do início. Saber identificar as fases de criatividade do seu ciclo permite que você organize o seu tempo de modo a conseguir expressar as energias quando elas emergem e assegura que você não perca o entusiasmo ou se sinta frustrada ou bloqueada. *Nos intervalos entre as fases de criatividade dinâmica mais elevada, as expressões das outras fases podem ser usadas para construir algo com base no que foi criado nas fases dinâmicas.* Os resultados que surgem dessas primeiras expressões talvez não atendam às expectativas, mas as habilidades técnicas se desenvolvem com a prática, e cada expressão individual sempre nos ensina algo a mais sobre as nossas energias e capacidades. O produto do estágio imaturo, experimental, costuma conter mais poder e beleza que as expressões posteriores, moldadas pelas restrições das regras e das habilidades conscientes.

Exercício

Consulte suas Mandalas Lunares e perceba de que maneiras você já expressa suas energias criativas, seja consciente ou inconscientemente. Repare se há momentos em que você sente um desejo maior de pintar, escrever, tocar um instrumento, fazer amor, dançar, cozinhar, limpar, comungar com a natureza, cuidar do jardim ou de outras pessoas. Repare como você lida com suas urgências criativas. Você age de acordo com elas? Quais são suas necessidades? Você limita sua expressão e tem momentos de frustração?

> Você descobrirá que os dias de maior sexualidade e criatividade tendem a coincidir em seu ciclo, e que esses podem ser dias bem ativos. Também pode haver momentos em que sua criatividade é menos física, expressando-se interiormente.

As informações da sua Mandala Lunar podem ser usadas como base para experimentação. Se você descobriu que está expressando suas energias de determinada maneira, tente encontrar outra forma de agir, talvez entre as sugeridas nas seções a seguir. Se você não sabe ainda qual a forma de expressão mais adequada para você, tente vários métodos durante suas diferentes fases e observe o efeito que exercem sobre você. Por meio dessa experimentação, você expandirá sua visão sobre a própria capacidade criativa e redefinirá o que você considera expressão criativa.

Se você tem um momento ou uma fase criativa regular, tente reservar algum tempo para se expressar de modo ativo. Pode ser útil ter materiais, ferramentas, músicas etc. prontos, assim você evita a frustração de precisar se conformar com uma preparação mais lenta ou de descobrir que não tem os materiais adequados. Não é preciso forçar sua criatividade, pois, se nessa fase sua tendência for reconhecida, aceita e utilizada, ela fluirá rapidamente. Haverá momentos ao longo do mês em que você sentirá a energia desaparecer. Talvez porque a orientação da energia seja diferente do que você esperava ou o método de expressão utilizado não seja o melhor para você ou outras influências, como relacionamentos, estresse ou problemas de saúde, dificultem a conexão entre a sua mente e a sua verdadeira natureza.

O mais importante é *tentar fazer alguma coisa*. Dê à energia a chance de ser liberada. Se você tiver uma ideia ou um *insight* repentino, tente escrevê-lo, pintá-lo ou dar forma a ele de algum jeito, pois talvez isso dê início a uma avalanche de inspiração. Se quiser dançar, renda-se a esse impulso e dance! O presente da feminilidade é dar à luz o conhecimento, a compreensão e o *insight* no mundo material, não importando qual a forma escolhida para isso. Tenha confiança na capacidade de criar que você, como mulher, possui.

As seções a seguir se dividem de acordo com a forma de expressão: por meio das mãos, do corpo, da mente ou do ambiente. A divisão dessas expressões em quatro categorias serve apenas como uma referência, tendo em vista que muitas vezes a expressão é uma mistura de todas elas.

Expressões manuais

HABILIDADES TRADICIONAIS
A forma mais simples de expressar suas energias criativas é por meio das mãos, e muitas das habilidades tradicionais femininas usam essa forma. Por gerações, as mulheres fiaram, costuraram, teceram, tricotaram, bordaram, fizeram tapeçarias, cozinharam, fizeram cestos, manufaturaram tapetes, roupas e recipientes e decoraram os objetos de suas vidas. Hoje, talvez haja uma tendência para ver esses ofícios como algo ultrapassado ou fútil, mas eles oferecem às mulheres uma forma bastante simples e tradicional de criar e manifestar beleza. Os produtos desses ofícios expandem o mundo da

própria mulher e daqueles ao seu redor. Ela cria forma, beleza, sustentabilidade e conforto a partir de materiais rústicos. O bolo assado, os sapatinhos de tricô da criança, a almofada costurada e o xale bordado são todas expressões das energias criativas da mulher e de seu desejo e sua necessidade de permitir que elas fluam. A consciência disso com frequência faz com que a pessoa que recebe um presente feito à mão aprecie e respeite mais o objeto que lhe foi dado.

ARTE

A pintura, o desenho, a escultura, o trabalho em madeira, a cerâmica e a joalheria são as expressões das energias criativas liberadas pelas mãos mais apreciadas e reconhecidas socialmente. Muitas pessoas hesitam em tentar alguma dessas formas de arte por considerarem-nas de alguma forma "especiais" e acima da capacidade de alguém comum.

A arte é uma das formas mais antigas de registro humano. Ela expressa a visão que o artista tem de si mesmo e sua interação com o mundo ao seu redor. A inspiração para a arte vem da consciência da vida e do mundo exterior, e é o mundo interior que leva essas experiências e formas a uma nova criação. As ferramentas e os utensílios cotidianos podem se tornar objetos cheios de beleza, decorados com linhas, espirais, flores e animais ou adornados com pedras e metais preciosos. Para as culturas antigas, cuja arte refletia a consciência espiritual, o ambiente moderno pareceria desinteressante e sem vida.

Use a arte para expressar seus próprios sentimentos, nos seus momentos de criatividade. Não há necessidade de começar com uma ideia específica do que você vai pintar ou fazer. Basta que você se expresse por meio de texturas, cores e formas. No entanto, talvez você descubra que, na fase das energias criativas, a imagem do produto final surge naturalmente na sua cabeça e ele pode decorrer de um meio de expressão bem diferente daqueles com que já está acostumada. Nesse caso, experimente-o.

A arte pode expressar fisicamente as necessidades interiores e os desequilíbrios do artista, e pode ser usada com fins terapêuticos. Muitas vezes, os trabalhos artísticos mais criativos e intuitivos são criados por pessoas que, de alguma forma, desligaram-se mentalmente do mundo cotidiano. A fonte das energias criativas está além das reações conscientes da vida e com frequência emergirá em momentos de retiro ou em períodos de menstruação, doença ou trauma, a fim de trazer cura à personalidade. Essa introspecção pode ser vista como uma pausa na vida da mulher, uma oportunidade de ficar consigo mesma e permitir que as energias criativas tragam cura, dando forma às suas necessidades interiores. Ao dar-lhes forma, os problemas podem ser reconhecidos, transformados ou liberados, promovendo a cura e restaurando suas forças. O resultado dessa expressão pode ser mantido, como uma representação da cura realizada por meio da criação, ou destruído, como um símbolo do término da vida antiga e da celebração da nova.

CURA

As energias criativas também podem se expressar por meio das mãos com o propósito de cura. A imposição de mãos, um dos métodos usados com essa finalidade, é muito natural para as mulheres, uma vez que elas têm uma grande tendência de expressar cuidado, amor e afeição por meio do toque. Em algum momento do ciclo você poderá se dar conta de que suas mãos estão quentes ou tremendo. Essa energia pode ser expressada ou liberada para propiciar cura e bem-estar com tanta facilidade quanto nos momentos em que você está pintando, cozinhando ou tricotando.

Tente fazer experimentos com essa energia quando sentir que as energias de cura estão mais acessíveis. Sente-se numa posição confortável e tome consciência da sua própria sexualidade e energia criativa. Talvez você queira usar alguma imagem ou símbolo que a conecte com a fase do mês em que está, a fim de ajudá-la a aumentar a consciência de suas energias, ou realizar a visualização "Conscientize-se do seu útero". Deixe que pouco a pouco a energia vá se intensificando em suas mãos, até que elas estejam quentes e irradiem calor. Erga as mãos verticalmente diante de você, com uma palma de frente para a outra, mas sem que se toquem, e experimente fazer com que pareçam mais quentes ou mais frias. Vá afastando as mãos aos poucos, até que não possa mais sentir o calor das palmas, e então aproxime-as outra vez. Se não for usar a energia para a cura, coloque-as sobre a terra ou na água corrente e deixe que ela se dissipe.

Caso queira liberar a energia para a cura, sustente as mãos um pouco acima da região que necessita ser curada, de modo que a pessoa que está recebendo sua ajuda possa sentir o calor das suas mãos. Tenha consciência da energia nas suas mãos e, ao expirar, relaxe e sinta a energia fluir para a pessoa, irradiando com ela sentimentos de amor e carinho. Talvez você queira fazer uma prece ou mentalizar uma imagem espiritual para ajudá-la no processo.

De modo geral, a energia criativa de cura pode ser liberada para trazer uma sensação maior de bem-estar. Você pode fazer isso do jeito que achar mais adequado; segurando as mãos da pessoa, dando-lhe um abraço ou fazendo uma massagem, por exemplo.

Para se tornar uma agente de cura profissional, você com certeza precisará de mais treinamento e orientação, além dos que podem ser oferecidos neste livro. Isso não significa que não deva praticar usando suas energias para aumentar o bem-estar do seu parceiro, da sua família, dos seus amigos e animais de estimação. Oferecer cura às pessoas é oferecer a elas o seu amor.

> **Exercício: Autocura**
>
> Sente-se confortavelmente numa cadeira e visualize a Árvore do Útero em seu ventre. Deixe que essa imagem vá se expandindo até que você se sinta conectada ao coração da Mãe Terra, por meio das raízes que se aprofundam na pequena lagoa. Sinta-se conectada também com a Lua e as estrelas, visíveis por entre os galhos que se estendem em direção ao céu. Relaxe e aceite qualquer sentimento que vier e então deixe-o ir.
>
> Apenas certifique-se de que a intenção de oferecer cura a você mesma e sua disposição para recebê-la ressoem profundamente em seu ser. Talvez você sinta a energia circulando pelo seu corpo e ao seu redor, talvez veja cores ou sinta a presença dos arquétipos da Deusa, ou talvez não. Acredite que a energia está aí para você. Agora, posicione as mãos sobre a barriga, na região abaixo do umbigo. Relaxe e deixe que a energia preencha seu útero.
>
> Quando se sentir pronta, termine a sessão, fazendo a imagem da Árvore do Útero diminuir de tamanho aos poucos até caber dentro do seu ventre. Então, coloque as mãos sobre o coração e

sinta gratidão pela cura recebida. Na sequência, coma ou e beba alguma coisa, caso se sinta um pouco "aérea".

Esse exercício pode ser realizado ao longo de todo o mês. Caso você tenha cólicas menstruais, a energia pode tornar a dor mais intensa durante a cura.

Expressões corporais

ARTE CORPORAL

A mulher experimenta o mundo por meio do seu corpo e da sua sensualidade, e também é capaz de expressar essa experiência por meio do próprio corpo. Para as mulheres, a arte não é só uma expressão exterior da sua criatividade, ela pode ser expressa por meio do seu próprio corpo. Essa conexão entre a mente, o corpo e o ambiente faz com que o corpo e o espaço à sua volta se tornem uma expressão da consciência da mulher. Essa expressão pode ser evidenciada por meio de roupas, do estilo de cabelo, de ornamentos, de pintura corporal, da música, do sexo, de performances ou da decoração da casa ou do ambiente de trabalho e do paisagismo.

A decoração do corpo nu com pintura e objetos naturais pode ser uma forma de a mulher expressar seu sentimento de interconexão com a natureza. A nudez permite à mulher alcançar o ápice da sua consciência com relação ao próprio corpo e à sua sensualidade, e por meio da sensualidade ela se torna parte do seu entorno. Uma mulher nua não está de fato nua, e sim vestida pela terra viva que a circunda. Com o Cristianismo, o conceito de sensualidade da mulher foi

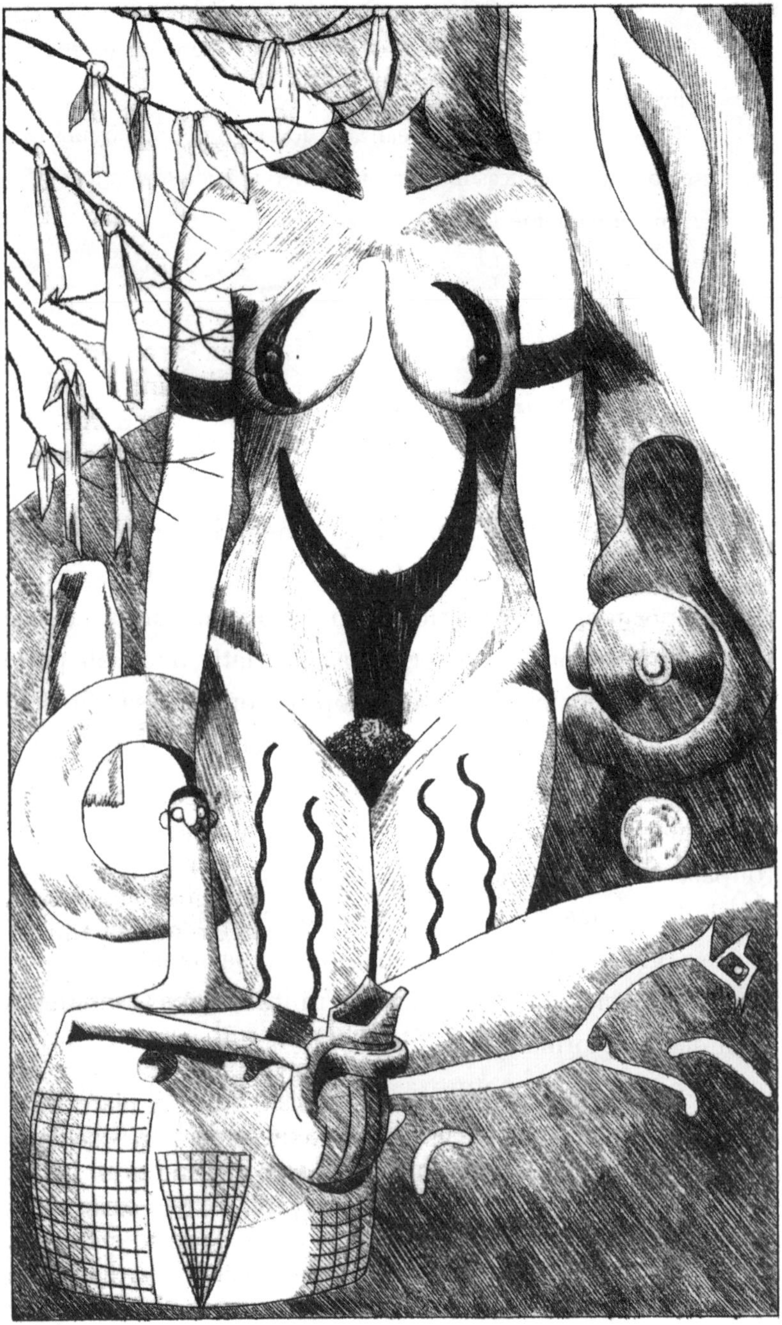

distorcido, e o que antes era uma expressão da sua interação com a Divindade passou a ser visto como uma tentação, como algo ruim. O corpo feminino tornou-se objeto das projeções dos desejos e medos masculinos, e pode ser difícil na sociedade moderna romper essas associações.

A expressão das energias criativas por meio da decoração da nudez não é aceitável na sociedade moderna, então as mulheres só podem expressar seus sentimentos, estados de espírito e sexualidade por meio de formas que cubram sua nudez. No Capítulo 4, a seção "A Mandala Lunar e a Vida Cotidiana" sugere algumas maneiras pelas quais a mulher pode se identificar com sua fase mensal por meio do seu jeito de se vestir. Ao buscar de maneira voluntária a expressão da sua consciência interior por meio das suas roupas, a mulher se liberta das restrições da moda e das expectativas dos homens.

Exercício

Observe as cores que mais a atraem em cada uma das suas fases. Quais você costuma escolher sem pensar ao se vestir, quais você usa na decoração da sua casa, quais mais a atraem nos alimentos?

Escolha uma cor pela qual você sente uma atração muito forte e vista algo dessa cor ou a coloque no ambiente em que está.

À medida que a mulher passa por cada uma das suas fases, determinados centros de energia do seu corpo podem demandar mais energia. Cada centro está associado a uma cor, então, ao usar a cor que a atrai, o centro de energia correspondente é beneficiado.

> Divirta-se usando roupas e adereços de diferentes cores ou tente fazer uma "pintura corporal" alternando as cores de batons e sombras ao se maquiar. O simples fato de tomar consciência das cores que a atraem reconecta a sua mente ao seu subconsciente e ao seu ciclo.

DANÇA

A dança também pode ser usada como uma expressão da ligação entre os mundos interior e exterior. Há muitos registros, na História, do uso da dança nos ritos religiosos e cerimoniais. O dançarino estabelece uma ligação entre o mundo interior e a Divindade e invoca as energias e os mistérios que vão além da sobrevivência diária. Para as mulheres, a dança era a expressão natural da sua dualidade cíclica.

As danças mais antigas costumavam ser circulares e com ritmos e ações repetitivas. Ecos dessas antigas danças circulares podem ser encontrados em contos folclóricos diversos, em que dançarinos viravam pedra e formavam, então, círculos de pedras; nos "círculos de fadas", círculos de cogumelos supostamente formados pela dança das fadas; ou nos tradicionais labirintos de sebe nos festivais sazonais. As dançarinas usavam a expressão corporal para se conectar com os ciclos das estações e da Lua e ao mundo do espírito. A dança muitas vezes chegava ao clímax com um estado de transe ou êxtase provocado pela exaustão, e no qual as barreiras impostas pelo intelecto se rompiam.

A trilha do labirinto era uma forma de dança um pouco mais complexa, na qual uma fila de dançarinos percorreria um caminho em forma de espiral em cujo centro havia um determinado desenho e, então, dançava na direção contrária, percorrendo a espiral mais uma vez. Essas danças refletiam a viagem da Lua até a escuridão e seu ressurgimento na luz; o espiralar da vida na direção da morte e o retorno da nova vida; o caminho das estações à medida que a força da vida e da luz se retiravam da Terra e retornavam na primavera; e o caminho da mente no ciclo menstrual, que se voltava para dentro, para a escuridão do subconsciente e do mundo interior, antes de voltar ao mundo exterior.

Dançar o labirinto na primavera, na Lua cheia ou no nascimento de uma criança era expressar o papel da humanidade no ritmo do universo e na fonte da vida. Dançar na escuridão da Lua, no outono ou após uma morte era retornar à Mãe Escura a fim de trazer sua sabedoria e visão ao mundo manifesto. As dançarinas se tornavam um símbolo da Divindade feminina, e elas mesmas eram parte desse símbolo. O simbolismo da dança permaneceu o mesmo, mas a interpretação dele mudou de acordo com o local ou o motivo da dança.

Mesmo no mundo moderno, é fácil nos deixarmos levar pela dança, seja numa danceteria ou em casa, ao ouvir uma música. Na dança, a mente responde num nível mais profundo e instintivo, deixando que os pensamentos diários se dissipem no ritmo da música. À medida que a dança prossegue, as restrições intelectuais e inibições da mente consciente vêm abaixo, permitindo a expressão do eu interior por meio do corpo e das energias criativas. A dançarina confia seu corpo ao ritmo; qualquer tentativa de se concentrar na batida ou nos movimentos da dança resulta na perda do ritmo. A dança se torna a arte do corpo, a expressão do eu interior da mulher por meio da consciência do seu corpo e do espaço que ele ocupa. Praticantes de danças ritualísticas ou sagradas com frequência usavam uma máscara, que diminuía as restrições da mente consciente com maior facilidade, ao separá-la da imagem que o corpo apresentava ao mundo.

Se você não está confiante em relação à sua habilidade de dançar, comece dançando sozinha, com uma música de ritmo marcado, e acompanhe o ritmo com os pés descalços ou batendo palmas. Talvez você queira conhecer danças de outras culturas, como a dança do ventre, e copiar alguns de seus movimentos. Vista roupas que não restringirão seus movimentos e escolha materiais fluidos, que realcem o gingado dos seus quadris. Use sinos, pulseiras e tornozeleiras, para marcar o ritmo da dança.

Ao começar a dançar, deixe que o ritmo conduza seus passos e pensamentos. O balanço ao ritmo da música aos poucos vai dissipar qualquer sentimento de vergonha ou inibição, e você logo sentirá alegria e prazer com os movimentos do seu corpo. Conscientize-se, por meio do ritmo, das energias criativas em seu corpo e no mundo que a rodeia. Permita que seus sentimentos expressem essas energias por meio da dança no mundo manifesto; dance sua sexualidade, seu prazer de viver, sua consciência, sua visão, sua intuição e criatividade. Deixe que a energia flua dos seus dedos, dos seus cabelos e dos seus pés e visualize essa energia como uma aura radiante ao seu redor. Use sua voz para chamar, arfar e gritar alto enquanto dança, liberando a energia por meio da respiração. Por fim, se solte e chore e, ao se sentir exausta, deite-se no chão e descanse.

À medida que sua confiança aumenta, talvez você sinta o desejo de dançar com outras mulheres e participar de danças circulares ou do labirinto. Faça isso na mudança das estações e das fases da Lua ou para marcar acontecimentos da vida, de forma a expressar sua consciência dos ciclos da vida e da natureza e sua identificação com eles.

O TAMBOR

As danças mais simples, e em geral as mais antigas, eram acompanhadas de ritmos básicos marcados pelos pés batendo no chão, pela voz, pelas palmas ou por instrumentos simples de percussão como o tambor. Essas danças ainda estão presentes nas culturas gregas, judaicas e dos nativos norte-americanos e nas danças dos dervixes rodopiantes. O tambor e a flauta são os instrumentos mais antigos, e em muitas culturas carregam um simbolismo que aumenta e eleva o simbolismo das danças que acompanham.

O tambor era originalmente um instrumento feminino; sua forma evocava os círculos ritmados da Terra e do útero, o círculo das estações, da Lua e das próprias mulheres. A voz do tambor era a voz da própria Terra, a pulsação da vida no útero da mãe e o poder oculto da vida no mundo manifesto. *Tocar tambor era chamar a Mãe Escura, a Bruxa Anciã, a força oculta de vida dentro da mulher.* A batida tornou-se o ritmo repetitivo da vida, da Lua e do ciclo menstrual feminino. Quando a percussão cessa, os ritmos naturais ainda continuam.

A flauta, com sua forma fálica, era um instrumento tradicional masculino. A música da flauta era a voz da vida mortal, ela entoava a melodia das fases manifestadas da Lua, que nascia, crescia, minguava e então morria. A melodia e o ritmo unidos expressavam a natureza divina. A melodia do ciclo individual era tecida no ciclo rítmico incessante da fonte de toda a vida.

Como na dança, a percussão pode pôr abaixo as restrições do intelecto e despertar a consciência do mundo interior. O tambor se torna a conexão com o mundo interior e uma forma de expressão das energias criativas. Muitas culturas têm seu próprio estilo de tambor e percussão. Escolha um que seja do seu agrado. A forma mais simples de tambor é uma armação circular de madeira revestida de pele, como o *bodhran* irlandês, ou os instrumentos encontrados na tradição dos povos nativos norte-americanos, e a forma mais simples de fazer percussão é bater o tambor num único ritmo. Toque seu tambor até encontrar a batida que pareça mais natural e seja fácil de ser mantida. Escute a "voz" do tambor, a reverberação que continua após a batida.

Sinta a batida do tambor como a pulsação da vida, da sua sexualidade e da sua criatividade, e a voz como a expressão e a forma que você dá a essas energias. Aos poucos vá aumentando a força da batida, mantendo o mesmo ritmo, e sinta as energias criativas fluindo através de você e dando origem ao som. Quando se sentir pronta, termine o ritmo com uma forte batida final e, enquanto ouve o som ecoando, sinta também as energias se dissipando. Esse tipo de percussão permite que as energias fluam do percussionista e, se ele for acompanhado por um dançarino, permite que as energias de ambos se mesclem.

A VOZ

Assim como o tambor, a voz é uma maneira de dar forma às energias criativas por meio do som. Na sociedade moderna, na qual as pessoas vivem muito próximas umas das outras, não estamos habituados a usar a nossa voz no volume máximo. Na infância, nos ensinam que não devemos gritar e que as únicas expressões vocais socialmente aceitáveis são as feitas por meio de uma linguagem restrita e de canções. A ideia da voz como forma de expressão sem palavras, no entanto, pode ser encontrada muitas vezes numa imagética descritiva: numa pessoa que grita de deleite, que gargalha de felicidade, suspira de prazer, pranteia a dor do luto, berra de raiva e geme de dor ou medo. Muitas dessas expressões, nos dias de hoje, são vistas como descontrole emocional. Ao romper com os condicionamentos sociais e expressar as emoções com toda a força da voz, a mulher é capaz de liberar suas energias criativas, ainda que esse método possa não ser apropriado para todas as mulheres, em decorrência de circunstâncias individuais.

Se quer tentar expressar suas energias cíclicas por meio da voz, encontre uma posição confortável, sentada ou em pé, e mantenha a coluna ereta. Antes de começar, respire fundo, abrindo o diafragma e enchendo de ar a base de seus pulmões. Então, expanda o peito para preencher a área central dos pulmões e, por fim, encha também a área superior dos pulmões e das vias respiratórias com o máximo de ar possível sem sentir desconforto. Talvez seja necessário praticar para que essa técnica de inspiração e expiração se torne natural e automática. Solte o ar com um som de "ah" ou "lah", primeiro contraindo o peito e, depois, encolhendo a barriga. Mantenha o som fluindo até que todo o ar tenha sido expelido.

Depois de dominar essa técnica, concentre-se em sua boca e na força usada para expelir o ar. À medida que solta o ar, deixe que a boca vá se abrindo aos poucos, até notar que o som está mais forte. Gradativamente, vá soltando o ar com mais força, deixando que o som se eleve, e termine com um grito alto. Experimente com sons diferentes: tente emitir apenas vogais num volume constante, combine-as numa escala ascendente ou deixe que cresçam em força e depois vão enfraquecendo até silenciar. Enquanto você libera o som, tenha consciência da liberação das suas energias criativas, sexualidade, experiências e emoções por meio do corpo, ao espiralar para fora da boca. Associe o som produzido com os seus sentimentos e, por um só instante, esqueça o fato de os vizinhos poderem pensar que há um bando de araras na casa ao lado!

O tambor, a dança e a voz podem ser usados em conjunto. Ao empregar suas vozes e entrelaçar seus sons, movimentos e ritmos, o dançarino e o percussionista criam uma única expressão criativa, em uníssono.

Exercício

Para propiciar a cura do centro de energia do seu útero, você pode usar o canto para liberar qualquer bloqueio e tensão e preencher as áreas exauridas com energia e harmonia.

Sente-se ereta numa cadeira, sem cruzar braços e pernas, e com o pescoço e os ombros relaxados. Faça uma inspiração suave, usando o diafragma, e solte o ar com um som baixo de "or", como na pronúncia da palavra "maior". Ao fazer isso, imagine um tambor de cor laranja sobre o útero, cuja superfície vibra com o som. Enquanto repete o som, deixe que a pele do tambor relaxe e amacie, de modo que sua vibração se torne mais forte. Repita o som pelo tempo que sentir confortável. Ao fazer isso, não deixe que os ombros fiquem tensos nem faça respirações cada vez mais profundas para sustentar o som. O exercício deve ser feito com suavidade e amor, não com força. Após sua última respiração, sente-se em silêncio por alguns minutos e desfrute a percepção do silêncio e da cura.

SEXO

O sexo e o erotismo são as expressões mais óbvias das energias criativas por intermédio do corpo e uma força poderosa na geração da arte. A sexualidade nos dá a capacidade de gerar e modelar a vida. O ato sexual desperta as energias criativas da mulher e aumenta sua criatividade e inspiração, além de permitir a formação do corpo da criança a partir da essência de vida que ela carrega.

No passado, a sexualidade feminina era reverenciada. Todas as mulheres, assim como a Divindade, tinham o dom de criar nova vida e dar forma ao mundo manifesto. O ato sexual era visto como uma experiência de forte teor espiritual, que ia além do simples prazer. O sexo era uma oração, uma meditação e uma celebração da vida e da Divindade. Nos templos da Babilônia e da Suméria, as mulheres ofereciam seus corpos para o ato sexual como uma forma de culto e serviço às suas deusas. E de todas as mulheres se esperava que oferecesse essa forma de devoção pelo menos uma vez na vida.

O ato sexual também era visto como um ato de empoderamento para ambos, homens e mulheres. Em muitas culturas, um homem poderia se tornar rei se ele se casasse com uma representante da Soberania do reino. Por meio do ato sexual, ele conquistava o direito de ser rei, além da autoridade, responsabilidade, sabedoria e inspiração da Deusa do reino. Em troca, o rei despertava, por meio do ato sexual, as energias criativas da sua parceira e das terras do reino, trazendo fertilidade e abundância para ambas. Se o rei não fosse capaz de despertar essas energias devido à idade, doença ou negligência, a representante da Deusa sairia em busca de outro parceiro, para despertar suas energias.

Esse era um tema recorrente no folclore, mas talvez tenha se tornado mais conhecido graças à história do Rei Arthur, na qual a Rainha Guinevere, representante da Soberania, é negligenciada por ele e busca, então, Lancelot como amante. O efeito direto desse ato foi a perda do poder e da autoridade de Arthur sobre o povo e seus cavaleiros, que aos poucos foram se dispersando pelo reino em busca do Santo Graal, e a destruição dos ideais mais elevados de Camelot e da Távola Redonda. A imagem do rei ferido e da subsequente devastação do reino está presente nas lendas do Graal, entre elas a história do "Rei Pescador".

O ato sexual liga a humanidade à Terra, o homem à mulher e a mulher às suas energias criativas, e assim ela se torna uma fonte de inspiração e empoderamento para o parceiro. Na História e nas lendas, a mulher tem sido com frequência musa, fonte de visão, entusiasmo, desafio, energia, força e inspiração para o homem, agindo como catalisadora em sua vida. A Deusa era representada como aquela que oferecia orientação, direção e sentido à vida dos seus heróis.

Na Grécia e na Índia antigas, as mulheres instruídas e versadas nas artes do sexo tinham *status* mais alto nas cortes que as mulheres comuns. Essas mulheres eram valorizadas por suas habilidades na música e na poesia, e suas opiniões eram ouvidas em discussões filosóficas e relacionadas à guerra. Sua interação com os homens por meio do ato sexual lhes trazia o prazer e o despertar de suas energias e oferecia aos homens prazer e visão. Essas mulheres ofereciam aos homens a arte do sexo e o verdadeiro valor do ato em si.

No mundo ocidental, o ato sexual e seu reconhecimento social sofreram grande influência das doutrinas da Igreja medieval. A sociedade moderna ainda tem dificuldade para ver o corpo, o sexo e a sexualidade como expressões de Divindade, devoção e espiritualidade. O sexo era visto como algo que afastava as pessoas da Divindade, e a sexualidade da mulher, em particular, era vista como a tentação original que conduzia a humanidade para longe de Deus.

Com o cristianismo medieval, o milagre, a beleza e o caráter divino do ato sexual se perderam; à medida que a sociedade se desviava do sexo, do corpo e da natureza, numa busca intelectual pela Divindade, na verdade ela se desviava dos poderes divinos da criação. O papel sexual das mulheres foi sufocado pela submissão às necessidades de seus maridos e restrito à reprodução. Para uma mulher, o ato de desfrutar do sexo, pedir por ele ou obter dele prazer e energia era visto como uma permissão para a manifestação da sua natureza maligna e, com isso, ela perdia qualquer respeito que pudesse ter por parte dos homens ou da sociedade. O conceito de sexo passou a estar firmemente ligado à gratificação masculina e à geração dos filhos, e qualquer forma de erotismo era vista como pornografia. Mesmo no mais "iluminado" e "sexualmente consciente" mundo moderno, o conceito de sexo como expressão espiritual, como no Tantra, ainda é considerado algo fora da norma.

Com o despertar e o fluir das energias sexuais, abrimos espaço para ideias, a inspiração, a realização e a capacidade de criar. Se você é sexualmente ativa, conscientize-se de suas energias criativas por meio do toque, do movimento e do carinho ao fazer amor. Tenha consciência de ambos os mundos, o físico e o sentimental, e perceba que o ato de fazer amor existe em ambos. Esteja consciente do seu útero e da conexão com as sensações do seu corpo. Livre-se de qualquer inibição ao expressar suas energias por meio do seu corpo e da interação com outro corpo. Seja selvagem, gentil, passiva, carinhosa, animal e indomável, e seja graciosa e equilibrada! Sinta-se tecer seu encanto numa teia que, dependendo da fase de seu ciclo, pode ser *a envolvente e acolhedora teia do seu amor, o feitiço que a leva e transforma, a escuridão do seu mundo interior no mundo exterior e a vestimenta da luz e da renovação.*

As energias sexuais podem ser liberadas por meio do orgasmo ou por meio das mãos ou da voz. Para liberar a energia por meio das mãos e da voz, estenda os braços para cima e grite com energia, sentindo-a fluir pela voz, passando pelos braços e saindo pelas mãos. Ao direcionar a energia de modo a abranger seu amante, você cria um laço de afeto entre vocês dois, num nível íntimo e profundo.

Se desejar, a mulher pode usar o homem e tirar dele toda a energia que ele tem a oferecer. A imagem feminina do vampiro é um exemplo extremo da mulher sexual, que tira todas as energias de um homem para obter vida e prazer. A vampira reflete a fase pré-menstrual da Feiticeira, mas no ciclo menstrual ela é normalmente equilibrada pelas outras fases. Não é errado tirar a energia do parceiro quando estamos na fase da Feiticeira, mas isso precisa ser contrabalançado pela disposição em retribuir essa energia em outras fases. O hábito de tomar a energia do outro, sem nunca dar algo em troca, é destrutivo para o relacionamento. Trate seu parceiro com respeito, generosidade e amor. Amar e cuidar de alguém, seja sexual, física, emocional ou espiritualmente, é uma das expressões das energias criativas.

Sua sexualidade irá mudar com as fases mensais, então se permita experimentar todos seus diferentes atributos. Se você não costuma fazer amor durante o sangramento, tente fazê-lo neste ciclo. Enquanto a consciência de suas diferentes fases cresce, seu parceiro se tornará mais consciente delas e reagirá de forma diferente a cada uma. Isso proporciona variedade ao relacionamento, bem como uma aceitação estimulante do ciclo natural da mulher.

Se você não está num relacionamento sexual, as energias sexuais ainda podem ser liberadas por meio do orgasmo ou de outras expressões criativas. Desse modo, a frustração sexual, devido à restrição, autonegação ou falta de oportunidade, pode ser transformada num fluxo criativo.

Exercício

Se você se sente insegura a respeito das mudanças em suas energias sexuais ao longo do mês, imagine que você é o arquétipo de cada fase. Pergunte-se: como a Donzela, a Mãe, a Feiticeira ou a Bruxa Anciã fariam amor? Como elas agiriam ou se apresentariam? Quais palavras usariam? Do que precisam e o que são capazes de oferecer?

Não conte ao seu parceiro sobre sua encenação de papéis, mas observe qualquer mudança em como ele interage com você. À medida que se tornar mais confiante com cada uma das energias sexuais do seu ciclo, você será capaz de aceitá-las e expressá-las como parte de quem você é.

Quando representa todos os quatro arquétipos no decorrer do seu ciclo, a mulher oferece ao seu parceiro a possibilidade de aceitar todos os aspectos da Divindade Feminina, experimentá-los e se conectar de modo profundo com eles.

Expressões por meio do ambiente

A CASA

A sensualidade da mulher conecta seu senso de eu ao mundo ao seu redor, construindo uma ponte entre eles. O ambiente no qual ela vive se torna uma extensão do seu ser. Essa é a arte de quem cuida de um lar. A evocação dos sentimentos de conforto, segurança, pertencimento e amor por meio do uso de objetos, cores, móveis e estampas são reflexos da consciência interior da mulher. Aquela que cuida da casa cria um espaço que é como um "corpo" ou "útero" externo, no qual ela cuida dos filhos, do parceiro, da família e dos amigos. Entrar na casa de uma mulher é entrar em parte do seu mundo interior e isso pode explicar a razão de algumas mulheres se sentirem violentadas se sua casa é arrombada; a violação da casa é sentida como a violação do seu próprio corpo. Para os homens, a casa pode ser apenas funcional, mas, para a mulher, ela se torna parte do seu ser.

Observe sua própria casa ou o ambiente em que vive e note como você se expressa ali dentro. O que você sente a respeito das cores, estampas, móveis e decoração? Você usa seus sentimentos como guia na decoração? Você sabe muito bem como deve ser a aparência da sua casa e do que é necessário para você se sentir feliz dentro dela? Se existe algo que a deixa insatisfeita, pense em como mudar isso, experimente e descubra o que para você é mais adequado e expressa melhor seu eu interior.

Na casa onde mora uma família, talvez seja difícil criar esse senso de eu no ambiente. Se você é mãe, conscientize-se de que a casa inteira é a extensão do seu eu, o lugar no qual você cria um ambiente acolhedor para seus filhos e seu companheiro. Se você compartilha um ambiente com outras pessoas, então o seu quarto ou a área em que você dorme é a extensão do seu eu. A antiga tradição do filho que levava para casa a noiva para morar com a família implicava que a mãe do noivo, representada pela casa, aceitava a nova mulher e passava a considerá-la como "filha" dentro do seu "corpo/útero" ampliado.

No ambiente em que vive, a mulher usa suas energias criativas não apenas na aparência externa da casa, mas também em sua organização e rotina e tradições. Ela cria o senso de família por meio dos relacionamentos, oferecendo ordem, estrutura, segurança e sustento. Limpar a casa, fazer as refeições, lavar as roupas, todas essas atividades são expressões das energias criativas da mulher. Se a sua casa tem um jardim, este pode refletir sua ligação com a Terra. A natureza se disponibiliza para ela e vice-versa. Ela poderá optar por expressar essa interação cultivando ervas, flores, frutos e hortaliças. O uso de alimentos colhidos na horta doméstica, bem como de ervas aromáticas e fitoterápicas, pode refletir a ligação entre a mulher e a Terra em sua vida cotidiana.

Exercício

Olhe à sua volta, para sua casa ou a área onde vive. Ela é arrumada e organizada ou está uma bagunça? Você sabe onde as coisas estão? Sua intenção é continuar empilhando papéis do chão até o teto? A ordem e a arrumação de uma casa podem ser o reflexo do estado de espírito da mulher, da sua autoaceitação, do seu senso de empoderamento e do seu amor. Quando não nos importamos com as pequenas coisas da vida, isso pode refletir uma falta de amor-próprio.

A arrumação da casa pode ser usada como uma prática espiritual para conectar a mulher ao momento presente, ao seu corpo e ao mundo ao seu redor. A simples prática de lavar um copo com plena consciência da experiência sensorial conecta a mulher ao seu corpo e ao mundo. O cuidado com o objeto e o senso de harmonia e organização criado ao guardá-lo no lugar certo a encoraja a cuidar não só do ambiente, mas dela mesma, e então dos outros. A criação de espaço e ordem estimula sentimentos de pertencimento, controle e empoderamento.

A partir de hoje, use suas energias criativas para criar beleza e harmonia por meio da arrumação da sua casa e invoque sentimentos de segurança, pertencimento e empoderamento. Tenha em mente que é o *ato* de arrumar, de cuidar do seu ambiente, que reflete as energias do seu útero, mais do que ter uma casa perfeitamente limpa e arrumada.

Se você é uma pessoa bagunceira, pergunte a si mesma o que lhe faz falta.

A ARTE NA PAISAGEM

O ambiente e o senso de espaço pessoal de uma mulher não precisa se limitar à casa. Eles podem incluir o terreno que a rodeia. Ficar de pé numa colina e contemplar a vastidão do céu e da Terra pode despertar um senso de pertencimento, um sentimento de ser parte do todo, em vez de se sentir pequena e insignificante.

Decorar a paisagem como uma expressão de suas energias criativas é como decorar a casa ou o corpo. Esse ato reconhece o espaço que rodeia a mulher como parte dela e reflete sua própria consciência sobre esse fato. O céu e a Terra se tornam parte do corpo da mulher, o espaço onde ela vive. Ao manifestar arte na paisagem, ela expressa a consciência que tem da integração da Terra às suas energias criativas, por meio de seu próprio ser e de sua criatividade.

A arte na paisagem pode abranger muitas coisas: escultura, pintura, música, dança, jardinagem ou qualquer atividade praticada a céu aberto e com a consciência da Terra. Pode envolver apenas o cultivo de plantas decorativas e flores em seus próprios canteiros ou jardineiras ou talvez você queira ser mais ambiciosa e trabalhar em locais públicos – mas tenha consciência do possível impacto que isso possa ter sobre outras pessoas ou mesmo sobre a paisagem.

Use a natureza à sua volta como meio e fonte de inspiração. Amarre fitas de fibras naturais nas árvores, decore chafarizes e laguinhos com flores, use pedras e galhos para criar estruturas, círculos e espirais e entalhe madeira morta, criando formas interessantes para enfeitar o seu quintal. Crie sua expressão em seu jardim, em florestas, campos, beira de rios, na praia, nos topos de montanhas e cavernas. Procure pedras e árvores que lembrem o corpo feminino e adicione materiais naturais não tóxicos que poderão se deteriorar, dispersar ou quebrar, de maneira a realçar ou dar forma à arte. Faça pinturas com pigmentos naturais coloridos, temperos misturados com água, areias coloridas ou giz natural. A areia pode ser derramada sobre a terra para produzir imagens parecidas com as pinturas de areia dos nativos norte-americanos e as mandalas dos budistas tibetanos. Mesmo a oferenda de uma pedra a um lugar que, para você, tenha um significado especial pode simbolizar sua presença como uma expressão de consciência e, consequentemente, de arte.

As formas artísticas na paisagem podem ser grandes ou pequenas. Elas podem envolver só você mesma ou outras mulheres que expressem uma consciência similar, e podem ser permanentes ou transitórias. Suas expressões podem ser transformadas com a Lua ou as estações ou podem se converter num espaço para dançar e sentir a proximidade da natureza e da Divindade. Como no caso dos antigos círculos de pedras, suas intervenções na paisagem podem ser feitas no decorrer de anos de atividade e observação ou de forma rápida, na criatividade do momento. Elas podem ser mantidas por um longo período ou deixadas ao relento, para que se decomponham ou deteriorem com o tempo, de modo que a paisagem seja restaurada como se elas nunca tivessem existido. Isso dá ênfase ao processo, em vez do produto. Permitir que a forma artística se decomponha pode ser comparado a cantar uma nota: primeiro ela ganha forma e depois você deixa que ela se dissipe no ar. Ambas, a forma artística e a nota, pertencem ao instante, elas não podem ser recriadas exatamente da mesma forma, e sua morte é tão poderosa quanto seu nascimento. O processo de criação da forma é, portanto, também o da destruição, refletindo o ciclo da vida e das mulheres.

Com as leis que regulamentam as propriedades privadas e públicas, e também as leis ecológicas e de preservação do ambiente, é importante assegurar-se de que nenhuma arte paisagística permanente seja feita sem permissão e que qualquer arte temporária não prejudique o ambiente ou introduza objetos que, se deixados para trás, podem virar lixo.

Expressões por meio da mente

INSPIRAÇÃO E IMAGINAÇÃO

Ideias, pensamentos, imaginação e intuição são criações da mente, às quais podemos dar forma por meio da linguagem e da escrita. A escrita inspirada coloca em palavras as experiências e os *insights* do autor, muitas vezes permitindo que ele dê um salto mental em consciência e inspiração. A forma dada ao texto depende do escritor. As palavras podem estar em forma de poesia ou prosa, uma descrição, uma história, uma peça de teatro ou uma piada.

    A maioria das pessoas recebe ou escreve uma carta ou um poema de amor em algum momento da sua vida. Essas palavras são a expressão da consciência interior do autor e de seus sentimentos. Para o leitor, a gramática e a rima não importam, a carta ou o poema são apreciados pelo processo por meio do qual o escritor dá forma aos seus sentimentos, mais do que pela forma final em si. Use sua própria experiência, consciência e sentimento como fonte de inspiração para a escrita. Expresse sua energia, seus sentimentos, nas palavras que escrever. Sua escrita se tornará um reflexo do seu desenvolvimento pessoal e de sua consciência interior.

    Ser criativo não significa produzir algo fisicamente, e sim produzir consciência mental. Olhar para o mundo de forma criativa é criar. Apreciar uma pintura, ler uma história ou escutar uma música são coisas que podem ser consideradas tão criativas quanto pintar um quadro, escrever uma história ou tocar um instrumento, por exemplo. Você expressa sua consciência sobre o mundo ao seu redor com seus pensamentos e sentimentos. Use sua criatividade para criar caminhos em meio ao caos, encontrar soluções para seus

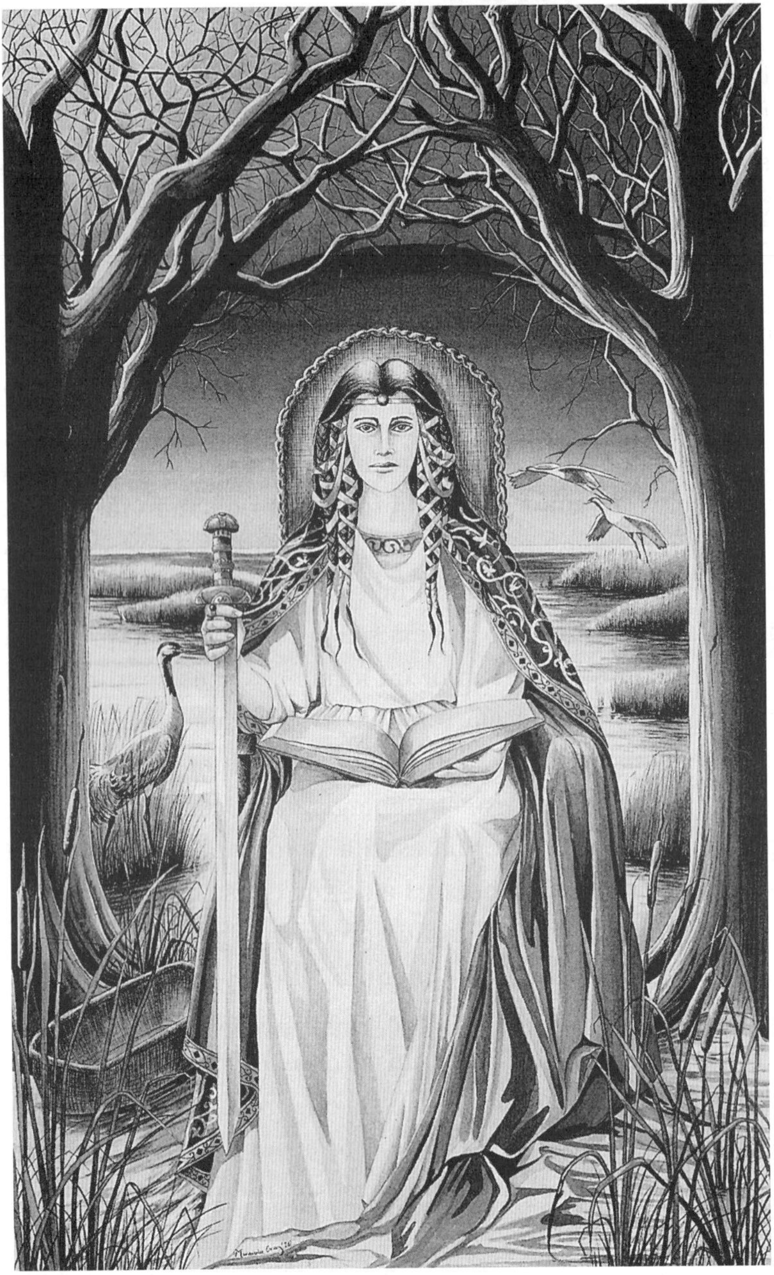

problemas, cultivar relacionamentos por meio da comunicação e do amor, descobrir o humor e a risada, aumentar o conhecimento e o aprendizado, reconhecer beleza e *insight* e desenvolver empatia e compreensão.

Exercício

Em sua fase da Feiticeira, quando suas energias criativas se manifestarem por meio de uma forte inspiração e intuição, encontre um tempo para se conectar com os aspectos mais profundos de si mesma a fim de buscar ideias e orientação. Passe cinco minutos a mais na cama, relaxada, com os olhos fechados, e use esse tempo "entre os mundos" para pensar nas áreas de sua vida em que você sente carência de inspiração e orientação.

Veja, saiba ou sinta que você flutua na superfície do laguinho que rodeia sua Árvore do Útero. Acima de você, os galhos formam um arco e, abaixo, na água, as raízes se espalham. Enquanto flutua, pense com carinho nas questões para as quais você precisa de ideias, *insights*, imagens, palavras ou inspiração e apenas se entregue e mantenha-se aberta para receber. Respostas e ideias poderão fluir para você imediatamente ou poderão demorar um pouco mais, talvez surgindo em formas surpreendentes durante o dia.

Tenha sempre um caderno com você para anotar suas inspirações e as respostas, uma vez que você poderá se esquecer depois. Você também poderá fazer este exercício na fase da Bruxa Anciã. O segredo dele é se entregar e se manter para receber.

ADIVINHAÇÃO E AÇÃO SIMBÓLICA

O mundo moderno vê a intuição, a imaginação e a emoção como faculdades menos importantes do que o intelecto e a razão e, por isso, o conceito de ritual mágico e adivinhação não são levados em conta pela ciência e a comunidade intelectual tradicionais.

A arte da adivinhação usa a intuição e a imaginação para identificar e criar padrões. É certo que os padrões da vida estão em tudo à nossa volta, mas o processo de adivinhação nos dá uma forma e uma estrutura pelas quais a mente pode reconhecê-los. Ao usar um sistema de adivinhação, a mulher usa suas energias criativas para ver esses padrões e interpretar seus significados.

Para aprender um sistema de adivinhação, a mulher precisa criar uma forma de comunicação entre sua mente consciente e o seu eu interior. Essa ponte pode ser formada pelas imagens das cartas de tarô, pelas pedras do sistema das runas ou por símbolos mágicos ou imagens formadas pelas folhas de chá. Aprender o significado correspondente é mais do que apenas um processo intelectual, e muitos sistemas de adivinhação requerem o uso da meditação, da visualização e da contação de histórias para que a consulente encontre os seus próprios significados nas imagens e símbolos.

No início, as leituras podem ser apenas mentais e usar regras preestabelecidas para dar significado às posições ou combinações, mas com a prática o processo se torna mais intuitivo e a consulente passa a interpretar os significados com base nos seus próprios sentimentos e imagens interiores.

A adivinhação é uma arte, é uma expressão natural das energias criativas e, para as mulheres, em especial, ela oferece uma ponte entre sua própria consciência e a dimensão mundana. Não é necessário comprar um batalho de cartas ou pedras rúnicas caras para praticar a adivinhação – você pode criar seu próprio sistema de imagens e correspondências. As primeiras adivinhações e premonições costumavam ser baseadas na observação dos padrões do voo dos pássaros ou na forma como um punhado de gravetos ou ossos caía no chão. Os sistemas já publicados, no entanto, podem ser úteis para guiá-la porque já têm uma estrutura de significados que se revelou efetiva para muitas pessoas. Eles oferecem um bom ponto de partida para você compreender os métodos mais comuns de interpretação. É ainda mais fácil aprender um sistema de adivinhação com alguém que já faz uso dele, porque você poderá captar os sentimentos que aquela pessoa associa às imagens e aos padrões por meio da maneira pela qual ela os expressa ao ensiná-los.

Exercício

Se você nunca experimentou nenhum método de adivinhação, um dos melhores para iniciantes são os oráculos, um sistema simples e menos complicado que as cartas de tarô. Existem muitos tipos disponíveis no mercado, com diferentes imagens e temas, que vão desde Anjos até Animais de Poder. Deixe que seu coração escolha o seu.

Quando aprender um sistema e começar a praticá-lo, registre em sua Mandala Lunar os momentos em que sentiu vontade de usá-lo. Você se sente levada a usá-lo para expressar sua conexão com o mundo interior, para obter orientação ou para receber

> ajuda? Perceba quando as cartas despertam facilmente a sua intuição e as ideias e significados vêm com facilidade. Em quais momentos você acha mais fácil colocar a informação em palavras para explicar a alguém sua leitura?

A arte da magia pode ser vista como uma interação entre o mundo tangível e o intangível, que desperta as energias criativas por meio da imaginação e as libera por meio da expressão física direcionada pelo pensamento e pela visualização. No passado, a mulher depositava todo seu amor e sentimento de proteção ao costurar o manto ou a bainha da espada do seu marido, tecia e fazia feitiços com cordas e fios, escrevia maldições para provocar a má sorte de um inimigo ou rival ou usava suas habilidades para criar amuletos e talismãs. Ela irradiava pensamentos de saúde e bem-estar ao sovar o pão que assaria para a família e focava suas energias na fertilidade da terra e na sua própria, durante as danças de Lua cheia.

Uma ação simbólica é a que expressa a experiência interior da vida, não importando se essa experiência se manifesta como um desejo de direcionar as energias, a fim de que provoquem algum efeito, ou como um despertar de consciência e *insight*. O ato de acender uma vela serve para focar as energias criativas numa oração ou pode expressar a consciência da Divindade na pessoa que a acende. Essas ações simbólicas podem ser tão simples como a experiência de "Depuração", descrita no Capítulo 4, ou podem ser muito mais formais e complexas, dependendo das preferências e necessidades individuais. Usar cores e roupas diferentes em suas fases é um ato simbólico, uma vez que expressa sua experiência interior. Usar um símbolo do sangramento durante a menstruação implica que você está aceitando os poderes dela.

Talvez você queira direcionar suas energias criativas com propósito e intenção. Enquanto libera as energias, envie-as para alguém em forma de cura. Ao preparar o jantar, foque sua energia nos alimentos a fim de trazer saúde e bem-estar. Ao usar sua voz, projete amor e carinho e, ao fazer amor, teça suas energias de modo a aprofundar o relacionamento ou conceber uma criança.

Pode ser que você queira trazer alguma forma simbólica de ação à sua vida, com a intenção de reconhecer seu ciclo menstrual, o ciclo de sua vida e o ciclo da Terra e da Lua. A criação e a manutenção da Mandala Lunar podem ser realizadas com uma ação simbólica; por exemplo, com o uso de duas tigelas e algumas pedras, contas ou grãos. O número de pedras de que você precisará será o mesmo número dos dias do seu ciclo, acrescido de algumas extras, no caso do seu ciclo ser irregular. Decore as pedras ou escolha contas coloridas para representar cada fase do ciclo, colocando-as numa tigela. A cada dia, remova a pedra correspondente e coloque-a em outra tigela.

A ideia de usar um ato simbólico para expressar seu ciclo e o das estações pode ser ampliada, para incluir também a paisagem. Faça um círculo ao ar livre – de preferência num lugar onde não passe muita gente –, talvez em seu jardim, na praia ou na floresta. O círculo pode ser feito com pedras, folhas, conchas ou galhos ou demarcando o chão com um graveto ou giz. Use o círculo como expressão do seu corpo, do seu ciclo menstrual, das fases da Lua, das estações, das suas energias, sexualidade, criatividade e espiritualidade, ou um espaço para você dançar, cantar ou fazer amor. Por meio de suas ações, o círculo se torna sagrado, como um reconhecimento das energias divinas e dos ritmos da vida dentro de você e da natureza. A criação do círculo é um ato simbólico e qualquer ação dentro dele torna-se, ela mesma, parte desse símbolo.

Aterramento

Nem sempre é possível liberar as energias de uma forma construtiva, devido à falta de tempo, oportunidade, materiais, equipamentos, espaço etc. Se permitimos que as energias se acumulem, sem que tenham uma válvula de escape, a tensão e a frustração resultantes podem se tornar destrutivas para a mulher e as pessoas que interagem com ela. A imagem da Destruidora tem um lugar muito positivo no ciclo menstrual, mas deve refletir a destruição controlada com um propósito, em vez de uma destruição desenfreada, que pode fugir do controle.

A frustração pode ser causada pela sensação de que o corpo está vibrando com a energia contida, sem nenhuma liberação exterior, e isso pode levar a um comportamento compulsivo, irregular e autodestrutivo. Além disso, é de vital importância ter um método de liberação fácil e rápido. O "aterramento" das energias é um desses métodos, que usa a interação do corpo feminino com o ambiente para liberar as energias de maneira segura e inofensiva, permitindo que ele recupere o equilíbrio.

O aterramento pode ser feito por meio de exercícios, da dança, da voz ou do ato sexual. Em qualquer exercício físico, as energias são liberadas de modo rápido com o esforço corporal. Experimente alguma atividade dinâmica que envolva todo o corpo, como natação, aeróbica, dança ou ciclismo. Se você não tiver tempo para esse tipo de atividade, apenas corra por uma distância pequena. Diferentemente da infância, a vida adulta não oferece muitas oportunidades para corrermos só pelo prazer de viver e para expressar esse prazer. Ao correr, tenha consciência do céu sobre você e da terra sob os seus pés e sinta a energia do seu corpo fluir para o mundo com seu movimento, até ficar exausta. Mesmo a corrida para pegar um ônibus pode se tornar uma liberação se feita com a consciência do fluxo das energias.

Usar a voz para emitir um som intencional pode liberar tensão, frustração e energia e, muitas vezes, essa é a razão pela qual as mulheres na fase pré-menstrual expressam sua irritação com "rosnados" e até mesmo gritos. Se a liberação da energia por meio da voz é ativada deliberadamente, de forma premeditada e por meio de um som controlado, então as repercussões desagradáveis da gritaria ou dos grunhidos podem ser evitadas.

As energias criativas também podem ser liberadas de maneira suave. Coloque suas mãos espalmadas no chão e visualize a energia percorrendo seus braços, passando pelas mãos e penetrando na terra. A água também pode ser usada para liberar as energias, seja colocando as mãos na água corrente de uma torneira ou ficando debaixo de um chuveiro. Muitas mulheres na fase pré-menstrual, por instinto, tomam mais banhos, como uma forma natural de liberar as energias.

Exercício

Uma forma simples e rápida de liberar energias é tamborilar as mãos ou as pontas dos dedos numa superfície. Esse movimento pode ser feito de forma irregular, dinâmica, urgente, forte, suave ou uma combinação de tudo isso. Continue nesse exercício até sentir vontade de parar.

Quando isso acontecer, sente-se em silêncio por um instante e se conscientize do seu corpo. Após a liberação, você poderá se sentir relaxada, calma, e com uma sensação de calor em algumas áreas específicas do corpo.

Exercício

Outro método rápido de liberação de energias é "sacudir" o corpo. Se você tiver algum problema de saúde, procure orientação médica antes de realizar esse exercício.

Fique de pé, com os pés afastados, relaxe os joelhos e os ombros e encaixe o quadril, deixando a coluna ereta. Agora, deixe que os músculos de uma parte do seu corpo se contraiam e depois relaxem. Pode parecer estranho ou forçado no começo, mas, à medida que se entrega a essa sensação, você vai ver que o corpo começa a se sacudir sem que você precise fazer isso de modo consciente.

Algumas regiões do seu corpo vão começar e parar de se sacudir naturalmente, e muitas vezes todo o seu corpo começará a vibrar. O movimento, por fim, se reduzirá a uma única região, até parar completamente.

Desfrute da sensação de liberação, calma e paz interior.

Bloqueio criativo

Em alguns momentos do seu ciclo, a mulher poderá sentir pouco criativa ou desconectada das energias que a inspiram. Essa desconexão pode ser percebida como um bloqueio entre sua mente consciente e seu mundo interior, o que inclui os aspectos espirituais da sua vida. A mulher pode se sentir sozinha, não mais ligada ao mundo ao seu redor, e considerar a mente consciente como a única forma de perceber seu próprio ser.

Para restabelecer a ligação entre a mente e as energias criativas, a mulher precisa voltar a ter mais consciência do seu corpo e da sua verdadeira natureza. As sugestões oferecidas anteriormente para despertar as energias criativas e criar as Mandalas Lunares podem ser usadas para restabelecer o ritmo da mulher e fazer com que ela se conscientize do seu corpo e das suas energias. A própria natureza é uma grande agente de cura e restauradora da conexão criativa, e passar um dia em meio à natureza, longe do ambiente urbano, pode ser o suficiente para desfazer o bloqueio.

Por fim, a mulher pode reconhecer o padrão mensal das suas energias intelectualmente, mas ela precisa senti-lo e vivenciá-lo de forma ativa, para que isso faça sentido para ela. Suas expectativas intelectuais a respeito das suas próprias energias poderão não se enquadrar na experiência real. A consciência dos sentimentos e das experiências do corpo e do seu ciclo são a base da natureza cíclica da mulher, e seu intelecto não deve ditar esses sentimentos, mas sim interpretá-los.

Com todas as pressões e demandas do mundo moderno, é difícil para a mulher ser fiel ao seu ciclo natural e manter uma conexão constante com suas energias criativas. Talvez você perceba que é possível manter essa consciência em alguns períodos do mês, ao passo que em outros se sente bloqueada pela pressão da vida cotidiana. No entanto, ao reconhecer em você a existência desse bloqueio mental/corporal e identificar a razão pela qual ele acontece, é possível eliminá-lo. Muitas vezes, a forma mais simples de eliminar um bloqueio consiste em relaxar o corpo físico, soltar a mente e confiar na vida.

As artes das mulheres são a expressão de suas próprias experiências e da consciência que elas têm da vida. São a forma por meio das quais elas agem, reagem, falam, pensam e sentem. O conceito moderno de arte pode ser ultrapassado e formal demais em sua expressão, se comparado à abrangente arte feminina, em constante mudança. O reconhecimento do valor de todas as formas de expressão feminina é importantíssimo para que a sociedade mude sua atitude com relação à natureza da mulher. Essas expressões devem incluir as que foram negligenciadas, proibidas ou destruídas ao longo da História, mas que ainda existem na natureza das mulheres. Elas incluem as artes da adivinhação, os oráculos, os rituais, a magia, a dança extática e a espiritualidade e sexualidade femininas.

O mundo em que a maioria das mulheres vive é de orientação masculina e, como as expressões femininas são o reflexo da interação das mulheres com o mundo em que vivem, elas refletem também essa masculinização. A fim de romper essa dominância masculina, a mulher precisa olhar para dentro de si e descobrir sua verdadeira natureza – não aquela imposta pela sociedade –, pois apenas por meio dessa natureza ela poderá expressar sua interação com a vida exterior.

SEIS

A Espiral da Lua

TRADIÇÕES FEMININAS

AS OBRAS DE ARTE, O ARTESANATO, a música, a poesia e o teatro não são apenas meios de expressão e liberação de energias criativas, mas também uma maneira de ensinar outras mulheres e orientá-las. Por meio da expressão de suas próprias energias e de sua natureza, as mulheres criam imagens, símbolos, conceitos e arquétipos que podem despertar compreensão e *insights* em outras pessoas.

No passado, as artes e os arquétipos femininos ofereciam uma forma de guiá-las e ajudá-las a compreender sua natureza e sua interação com os ciclos da vida e da Terra. Pinturas e decorações ofereciam conceitos em forma visual e simbólica, enquanto histórias e canções permitiam que esses conceitos fossem transmitidos por meio da imaginação de quem as ouvia. Essas ideias eram oferecidas às mulheres, não de modo intelectual, mas de uma forma sentida e experimentada. Imagens arquetípicas surgiam da experiência e dos sentimentos femininos e despertavam essas mesmas experiências e sentimentos em outras mulheres que vinham a se identificar com elas. Como todos os aspectos do feminino eram aceitos e reverenciados, as imagens, os arquétipos e a mitologia refletiam isso.

As histórias e lendas ofereciam conhecimento da natureza das mulheres, do ritmo cíclico das energias femininas e da sua conexão com a Terra e a Divindade. Elas ensinavam ainda o entendimento das relações entre mãe e filho/a e entre homem e mulher e também os momentos de passagem da vida, como o nascimento, a primeira menstruação, o fim da menstruação, a morte e o renascimento. Histórias como *Branca de Neve* e *A Bela Adormecida*, por exemplo, ensinavam sobre a transformação da menina em mulher, com o despertar da menstruação, e sobre a relação entre a menina e o pai e entre a jovem mulher e seu amante. A história de Perséfone e Deméter continha ensinamentos sobre a relação entre mãe e filha, os ciclos das mulheres e da Terra e também o ciclo de vida e morte; e a história de Eva ensinava sobre o poder da menstruação e das energias criativas e sobre a relação entre esse poder e os homens.

Ao identificar-se com a imagem arquetípica, a mulher era capaz de despertar em si as energias expressas pelo arquétipo. Ao reverenciar o arquétipo de uma Deusa, as mulheres expressavam sua consciência – ou a necessidade de se conscientizar – daquele aspecto da Divindade Feminina dentro delas mesmas. Ainda que a estátua ou a imagem da Deusa fosse fisicamente separada da mulher, a devota não sentia a separação, mas se identificava com ela de forma próxima e direta. Muitos dos poemas que sobreviveram da cultura assíria e do Antigo Egito, contendo invocações à Deusa, eram escritos usando-se a forma "Eu sou...". A mulher que pronunciava essas palavras se identificava com a natureza divina dentro de si e falava como a Deusa.

A destruição das imagens, dos ensinamentos e das religiões femininas – que constituíam a base da tradição das mulheres – deixou-as em dificuldade, inseridas numa sociedade que oferecia poucas imagens femininas para guiá-las. Em vez disso, as imagens apresentadas refletiam as expectativas e percepções de uma sociedade de orientação masculina. Como mencionado anteriormente, o cristianismo medieval oferecia duas imagens arquetípicas principais às mulheres: a de Eva, má, que desobedeceu a Deus e, por meio de sua sexualidade, trouxe a morte e a maldade ao mundo; e a "boa" Virgem Maria, que obedeceu a Deus e, por meio da transcendência da sua sexualidade, trouxe a esperança de vida.

As imagens modernas das mulheres ainda são influenciadas por essa abordagem medieval, ainda que nosso papel na sociedade tenha se transformado e continue a se transformar. Entretanto, as mulheres estão começando a reivindicar alguns dos antigos arquétipos dentro da sociedade dominante e, de maneira surpreendente, isso se dá por meio do seu poder de compra. A indústria da propaganda é hoje a que, na maioria das vezes, dita a interpretação da imagem feminina e ela está em sintonia com o modo como as mulheres querem se ver.

No entanto, o que falta nas imagens da propaganda é o senso de completude e a experiência interior despertada pelas verdadeiras imagens arquetípicas. A fim de que as mulheres modernas possam compreender qual é sua verdadeira natureza e como viver em harmonia com ela e com o mundo moderno, é preciso que os arquétipos se restabeleçam, demonstrando todos os diferentes e complementares aspectos da natureza feminina. Sem esses arquétipos, as mulheres modernas sofrem para entender e aceitar sua própria natureza, pois não há ensinamento ou guia apropriado para elas. A mulher na fase menstrual é cíclica, mas espera-se que ela seja linear e constante. Ela se sente parte do mundo ao seu redor, mas lhe dizem que ela está separada. Seu erotismo parece criativo e espiritual, mas lhe dizem que se trata de pornografia ou perversão. Ela sente o aspecto cíclico da vida, mas esses ciclos não são reconhecidos. Não é nenhuma surpresa que a mulher tenha problemas com a sociedade moderna e tente redefinir seu papel dentro dela, bem como as expectativas que tem.

> **Exercício**
>
> Repare como as mulheres são retratadas nos anúncios, seja na televisão, seja nas lojas femininas e masculinas. Qual arquétipo é retratado? Que arquétipos faltam? Imaginando que um arquétipo diferente fosse retratado, qual seria o impacto desse anúncio?
>
> Esse exercício pode ser bem divertido e, se abarcar vários países e culturas, pode mostrar como as expectativas de cada sociedade em relação às mulheres são diferentes.

RESGATE OS ARQUÉTIPOS FEMININOS AUSENTES

As mulheres podem usar imagens femininas do passado e de outras culturas com o objetivo de despertar os aspectos do feminino que faltam na sociedade moderna. Imagens e arquétipos da Divindade Feminina podem ser encontrados na mitologia, nos contos folclóricos e nas lendas e, por mais que essas histórias sejam reflexo da sociedade de onde vieram, a orientação oferecida é baseada na compreensão do universo feminino, ainda que ele tenha sido distorcido ao longo dos anos. Muitas das deusas e mulheres que figuravam na mitologia e no folclore podem ser inseridas nas Mandalas Lunares como arquétipos das diferentes fases, e algumas também podem ser inseridas ao mesmo tempo em várias fases, indicando que elas, um dia, foram reconhecidas como representantes da completude do ciclo.

A Mandala Lunar na Figura 7 sugere posições para certas Deusas e mulheres lendárias, bem como algumas associações ligadas às diferentes fases femininas. Talvez você queira comparar essa Mandala Lunar com as associações que você mesma fez para seu próprio ciclo, no Capítulo 4. Talvez queira adicionar, às deusas, mulheres ou outras associações que tenham resultado de uma pesquisa pessoal ou da sua própria tradição, e até mesmo alterar algumas posições.

A Deusa da Soberania foi colocada no centro da mandala para indicar que, no folclore, ela pode ser encontrada em todas as suas quatro fases. Os nomes colocados nas extremidades das linhas de transição entre as fases são mulheres do folclore já mencionadas nos capítulos anteriores e apenas exemplos de quais entre elas poderiam ser inseridas nesse lugar de passagem.

Ainda que essas imagens e símbolos do passado possam ser usados para ajudar as mulheres a se tornar mais conscientes da sua verdadeira natureza, é importante adaptar ou alterar as velhas formas, para que se tornem relevantes para as mulheres do mundo atual, ou recriar seus próprios arquétipos e

Mulher Grou
Brodeuwedd

Epona
Rhiannon
Igraine
Ísis

Deméter
Hathor
Freya

Guinevere
Gaia

Eva
A Bela Adormecida
Branca de Neve

Morrigan
Lilith
Górgona
Fada Morgana
Kali
Hécate
Perséfone

Soberania

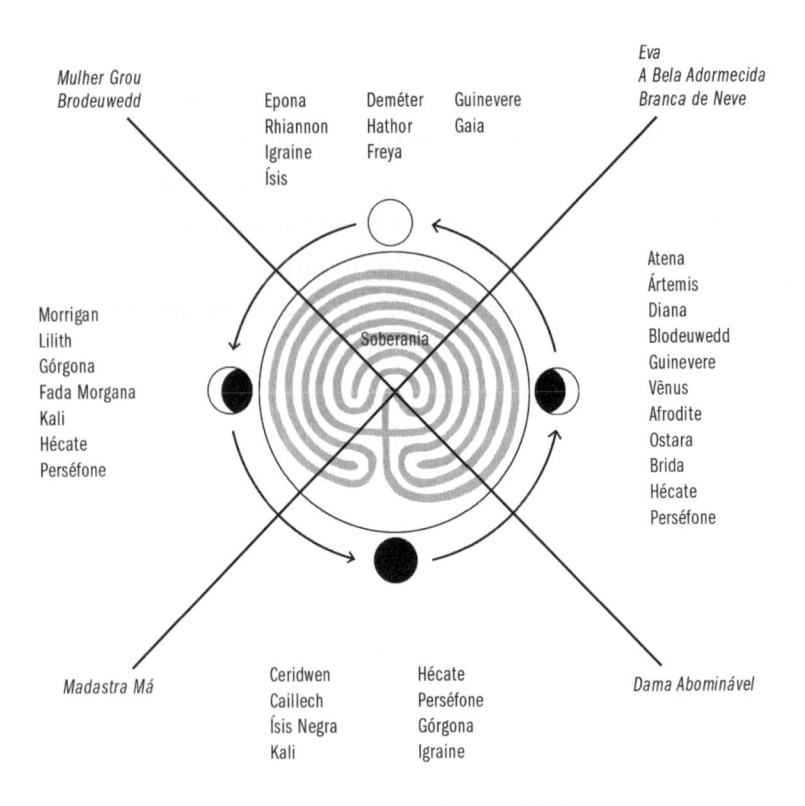

Atena
Ártemis
Diana
Blodeuwedd
Guinevere
Vênus
Afrodite
Ostara
Brida
Hécate
Perséfone

Madastra Má

Ceridwen
Caillech
Ísis Negra
Kali

Hécate
Perséfone
Górgona
Igraine

Dama Abominável

Figura 7. *Arquétipos da Mandala Lunar*

histórias com base em sua experiência da percepção feminina no mundo moderno. Essa falta de tradição estruturada não é necessariamente uma coisa ruim, pois significam que as mulheres agora precisam desenvolver suas próprias estruturas e conceitos individuais, que resultem numa compreensão e em expressões novas, pessoais e inovadoras, em constante transformação.

Com base em sua consciência e nas experiências do seu próprio ciclo, você pode criar imagens e arquétipos ou trazê-los do folclore, das lendas e das histórias infantis, para então mostrá-los a outras mulheres. Não é preciso que os arquétipos tenham forma feminina, eles podem, por exemplo, ser representados pela Lua, por símbolos ou animais. Use o artesanato, a pintura, o desenho, a escultura, a escrita, a música, a dança, o ritual e o teatro para dar forma aos seus arquétipos e comunicar seu entendimento, permitindo, assim, que eles despertem em outras mulheres. Celebre todas as festas anuais que possam aumentar sua conexão com eles e deixe que as crianças, a família e os amigos participem.

Num grupo de amigas, converse e compartilhe suas experiências. Leve a arte à encenação, a música à contação de história, a dança à poesia, e permita que as mulheres que não tenham tentado algo antes aprendam com outras que já tenham experiência. Com esse grupo, faça uma compilação de imagens, histórias, músicas e objetos capazes de expressar suas experiências, no intuito de transformá-los num meio de ensinar suas filhas e netas. Criem músicas com os sons e ritmos do corpo, aumentando a conexão com todas as mulheres, na frequência da feminilidade. Preparem uma refeição juntas, expressem o arquétipo da mulher que nutre e sustenta, façam sessões de costura, tecelagem, tricô ou crochê a fim de expressar o arquétipo da tecelã da vida e da criação.

COMO ORIENTAR E ENSINAR SEUS FILHOS

No passado, as tradições da linhagem familiar eram mantidas pela mãe e transmitidas aos filhos. A mulher ensinava a eles a estrutura social na qual haviam nascido e o papel que tinham nela. As mães moldavam a personalidade dos filhos, de modo que se desenvolvessem intelectual, emocional, sexual, criativa e espiritualmente, por meio de histórias e ritos simbólicos.

Esse papel de guia e educadora foi em grande escala retirado das mulheres modernas e conferido à própria sociedade. O ensino e a escola formal, com seus programas e currículos predeterminados, tiram a criança do ambiente materno e fazem com que seu desenvolvimento seja orientado por uma sociedade cujo pensamento dominante é masculino. Mesmo em casa, o aprendizado da criança chega por meio da televisão, de filmes, livros, internet e jogos eletrônicos.

O tema do qual a sociedade ainda não se apropriou, e foi deixado sob a responsabilidade da mãe, é exatamente o do ciclo menstrual, com seus significados e as experiências proporcionadas por ele. A sociedade ignora o ciclo menstrual em seu aspecto não fisiológico e, como consequência, não oferece nenhuma orientação às meninas a respeito das experiências relacionadas a ele. Muitas mães não são capazes de oferecer orientação às próprias filhas e delegam a educação sobre o ciclo menstrual aos professores de biologia. Essa inaptidão ocorre porque muitas vezes as mães não têm a compreensão real da sua própria natureza cíclica, e tampouco tiveram uma figura de referência que pudesse servir de modelo e oferecer a orientação e o ensinamento que poderiam transmitir às filhas.

A comunidade científica não reconhece a natureza cíclica dos pensamentos, das emoções e dos sentimentos femininos e, por essa razão, é importante que as mães transmitam às filhas suas próprias experiências. E precisamos ensinar os significados e as expressões do ciclo menstrual não só às meninas, mas também aos meninos, que passarão a respeitar a condição feminina e seus dons.

Mães e avós precisam preparar as meninas para receber o futuro sangramento mensal, oferecendo-lhes a linguagem, as histórias e as imagens que comunicam a compreensão das experiências do ciclo menstrual. Enquanto elas percorrem o caminho do próprio ciclo, as mães serão capazes de oferecer suas próprias experiências e *insights* às filhas. Por sua vez, as avós, que na maioria das vezes se encontrarão na menopausa ou na pós-menopausa, serão capazes de oferecer-lhes a visão de quem já está além do ciclo.

A mãe precisa não apenas compartilhar as experiências do seu próprio ciclo com os filhos, mas também encontrar uma maneira de transmiti-las que facilite a compreensão. A menos que sejam oferecidos às crianças conceitos estabilizadores, por meio de uma linguagem adequada à idade e imagens que possam ser entendidas com facilidade, as oscilações de humor e o comportamento da mulher na fase menstrual podem ser bastante desencorajadoras. O amor da mãe pelos filhos, por exemplo, pode ser apresentado apenas com a imagem da Lua. A Lua ainda é a Lua, independentemente de você enxergar um quarto crescente ou sua face plena, ou mesmo que ela esteja escondida na escuridão. Da mesma forma, a mãe ainda é a mãe amorosa, independentemente do aspecto no qual ela esteja.

As ideias e experiências do ciclo menstrual podem ser apresentadas com mais facilidade às crianças pequenas por meio da contação de histórias. Muitas histórias de diferentes culturas e tradições falam do tema do ciclo menstrual de maneira intrínseca, na forma das próprias personagens femininas, deusas e rainhas das fadas, e na interação entre elas e também com a Terra e a Lua. Use as imagens dessas histórias para descrever a si mesma; conte aos seus filhos que você se sente como a Feiticeira (suprimindo a conotação de que ela é "má") ou como a jovem Branca de Neve. Explique o papel de cada personagem nas histórias, quem sabe encenando a personagem para a criança. No caso de *Branca de Neve*, a Feiticeira/madrasta estava ajudando a Branca de Neve a crescer. Use histórias como *A Dama Abominável* para explicar à criança que você às vezes é como uma velha, para então mudar e ser outra vez uma jovem mulher.

Suas fases também podem ser apresentadas aos seus filhos por meio das estações ou Animais Lunares. Você pode se descrever dizendo que se sente como o "verão", ensolarado, quente e feliz, ou como uma coruja, quieta, sombria e bela. Por meio das histórias, você usa imagens às quais se relacionar e que a criança também possa identificar. No entanto, é importante que a criança compreenda que não importa o animal, a estação ou a personagem que você é naquele momento, pois seu amor por ela continua o mesmo.

Talvez você também queira que seu filho ou sua filha participe das suas expressões individuais das energias criativas. Cozinhem, dancem, ouçam música, desenhem e façam pinturas de paisagens juntos. Inclua a criança em suas ações simbólicas, explicando o que elas representam. Deixe que outras mulheres também interajam com seus filhos, compartilhando as próprias histórias e expressões. Essas mulheres podem ser avós, tias, irmãs ou amigas próximas e podem oferecer à criança outra visão do ciclo menstrual, bem como o despertar da ideia de que outras mulheres também mudam.

Ao usar você mesma sua própria experiência como base para ensinar seus filhos, deixe que eles a guiem – por meio das perguntas que apresentarão – e mostrem o que desejam saber ou estão prontos para saber. À medida que seus filhos crescem, talvez você queira introduzir maiores detalhes. A história "O Despertar" pode ser usada com esse propósito, caso você não se sinta segura para criar a própria história. Basta adaptar a linguagem e as imagens para facilitar a compreensão da criança. Ofereça-lhe suas próprias imagens arquetípicas, explicando e ensinando seus significados.

Ao fazer com que suas filhas e filhos tenham consciência do seu ciclo menstrual e do futuro ciclo de suas filhas, o evento da primeira menstruação pode ganhar a aceitação de toda a família e ser recebido sem medo ou constrangimento.

RITOS DE PASSAGEM

Os ritos de passagem eram uma das formas mais antigas usadas para apresentar ideias e experiências. Esses eventos simbólicos ou rituais marcavam a transição do indivíduo de uma fase da sua vida para uma nova fase, de consciência e percepção. Esses ritos com frequência marcavam uma mudança no *status* desse indivíduo na comunidade, como na puberdade, no casamento e na consagração de um sacerdote/sacerdotisa ou de um rei. Normalmente, também provocavam mudanças nas restrições e obrigações legais ou sociais desse indivíduo.

No mundo ocidental, o conceito de rito de passagem aos poucos foi se deteriorando, em especial no que diz respeito à puberdade. Alguns resquícios da ideia original ainda são encontrados no conceito da "chegada da maioridade", e em certas prerrogativas e obrigações legais, mas mesmo assim ela perdeu prestígio devido às diferentes idades em que se aplicam essas variadas restrições legais. Sem um rito de passagem, as crianças não têm um ponto de referência, que marque a entrada na fase adulta, e isso faz com que seu comportamento possa oscilar entre infantil e adulto, devido às expectativas dos pais, da sociedade e da lei.

Para uma menina, o rito de passagem precisa assinalar não apenas a transição da infância para a vida adulta, mas também o início da sua condição de mulher. O evento físico do primeiro sangramento é seu primeiro rito de passagem natural. Faz relativamente pouco tempo que ele começou a ser ignorado como tal. A vida da menina muda com esse evento único, que deixa de ter a natureza linear característica da infância e adquire a natureza cíclica da mulher. O ato simbólico realizado na ocasião da primeira menstruação reconhece, enfatiza e aceita a mudança ocorrida com ela, tornando-se, para essa criança, o início do aprendizado com suas próprias experiências, à medida que ela cresce e se aproxima da maturidade.

Para a menina, a transformação interior não pode ser reconhecida apenas intelectualmente. Ela precisa *sentir* que passou a ser uma jovem mulher. Esse sentimento pode ser criado por um rito de passagem simbólico, mas também precisa ser reforçado mais tarde pelas expectativas e reações dos pais e de outros membros da família. A criança precisa aprender sobre as responsabilidades e habilidades que precisará desenvolver na vida adulta, mas também sobre sua própria natureza de mulher. No passado, a reclusão da menina, que se dava entre o primeiro sangramento e a maturidade, tinha o propósito de lhe ensinar todos os aspectos da condição feminina: a aceitação e o uso das capacidades e energias que emergiam nela em cada fase diferente, bem como as habilidades mundanas associadas à condição de esposa e mãe.

O rito de passagem do primeiro sangramento

A natureza feminina é expressa por meio dos sentimentos da mulher e, por isso, sua filha precisa sentir que o ato simbólico de passagem para a vida adulta é oportuno, refletindo suas inspirações e necessidades emocionais e intuitivas. A natureza feminina é expressa, ainda, por meio do corpo e das sensações da mulher, e também da sua interação com o ambiente à sua volta, por isso é importante que o rito de passagem crie a atmosfera adequada para a menina.

Pense em qual ambiente seria o ideal para o rito da sua filha e se pergunte quais cores, músicas, objetos e movimentos poderiam fazê-la sentir-se mais confiante. Quais emoções você gostaria que despertassem nela e de que modo você pode fazer com que isso aconteça? Ela gostaria de estar num ambiente aberto ou dentro de casa? Se ela é tímida, talvez possa reagir melhor a um rito que envolva apenas vocês duas. Ela tem imaginação fértil ou precisará de objetos que a ajudem? Ela ficaria mais feliz nua, usando uma fantasia ou roupas normais? Parada no lugar ou dançando? Ela precisará sentir magia e encantamento para inspirá-la ou um passeio de um dia entre mãe e filha pode ser uma boa ideia? Que tipo de interesse ela tem nos diferentes aspectos do ciclo menstrual e por quanto tempo isso pode deter sua atenção? Ela precisará de uma expressão física além de seu próprio sangramento para demonstrar que o rito ocorreu, como cortar o cabelo ou furar as orelhas? Naturalmente, o ideal é conversar tudo isso com sua filha a fim de descobrir os desejos dela.

O rito é destinado à menina, visa despertar a ideia e a experiência da feminilidade dentro dela, então precisa ser organizado para se adaptar a ela. Ela pode ter começado a

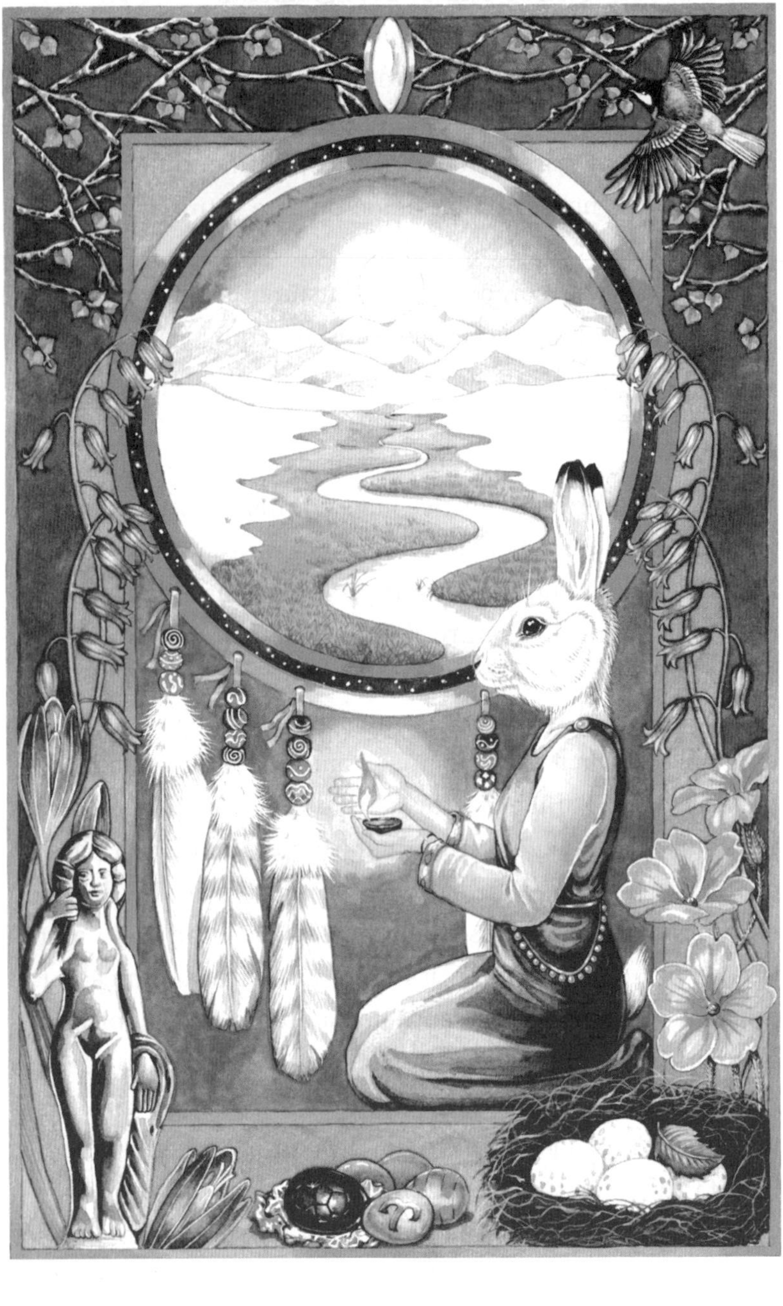

menstruar mais cedo ou mais tarde, em comparação às amigas. Assim, esteja preparada para sanar qualquer ansiedade que isso possa causar. Tenha pronta em sua mente a ideia que pretende colocar em prática, de forma que possa cumpri-la na ocasião em que ela tiver o primeiro sangramento. Não é absolutamente necessário realizar o rito no primeiro sangramento, mas o melhor é não adiar muito, uma vez que a intenção é marcar o início de sua transformação em mulher adulta.

Pode ser que sua filha enfrente algumas dificuldades físicas e emocionais no seu primeiro sangramento, então seja flexível com suas ideias para se adaptar à reação dela. E o mais importante: considere como você mesma reagirá quando ela anunciar a menstruação, tendo em vista que isso sem dúvida afetará o sentimento dela em relação ao seu sangue e futuros sangramentos e, possivelmente, a reação que ela mesma terá diante da menstruação das próprias filhas no futuro.

As imagens e símbolos usados no ritual do primeiro sangramento podem ser extraídos de várias fontes. Muitas histórias com imagens relacionadas à menstruação, e em particular ao primeiro sangramento, envolvem a Donzela que se retira do mundo após ter contato com um símbolo da vida e da menstruação. Em *Branca de Neve*, a Donzela dorme como se morresse ao comer o fruto da Árvore da Vida e, em *A Bela Adormecida,* a Donzela dorme depois que seu sangramento começa, causado pelo fuso da vida.

A passagem pela escuridão e o despertar para uma nova vida são um conceito lunar central para o ciclo menstrual e os ritos de passagem. Ao despertar, a Donzela se torna mulher e tem ao seu dispor as dádivas da condição feminina. O acontecimento que provoca a descida para a escuridão muitas vezes envolve um fruto, que representa o fruto menstrual da Árvore da Vida. Ele pode ser simbolizado no rito por uma maçã vermelha, como na história de *Branca de Neve*, ou por romãs, azeitonas, figos ou cerejas.

Imagens de animais, como o unicórnio e a borboleta, também podem ser usadas no ritual. O unicórnio simboliza o início da menstruação e está associado aos poderes lunares, além de ser um animal que as meninas costumam conhecer e apreciar. A ocorrência do primeiro sangramento de uma garota é um sinal de que ela atraiu seu próprio unicórnio e que eles estarão ligados enquanto durar sua vida menstrual. A história folclórica da caça de um unicórnio pode ser usada no ritual e mesclada com imagens de outras histórias que evocam a menstruação. A borboleta, por sua vez, é um símbolo do ciclo lunar/menstrual, e seu ciclo de vida pode ser usado para ilustrar a passagem da infância para a vida adulta, como mulher. Nesse caso, o retiro da primeira menstruação pode ser representado pelo estágio da crisálida na vida da borboleta.

PERSÉFONE E DEMÉTER

Uma das histórias mais poderosas e complexas contendo um simbolismo menstrual e do primeiro sangramento, entre outros, é o conto das deusas gregas Perséfone e Deméter. A história não só ilustra o caminho da Donzela no primeiro sangramento, como oferece orientação sobre o papel da Mãe na chegada da menstruação da filha.

Nessa história, Deméter, que era a Deusa dos frutos da Terra, vivia com a filha Perséfone em terras que não conheciam o inverno. As duas desfrutavam de um relacionamento próximo e amoroso. Um dia, enquanto colhia flores do campo, Perséfone sentiu-se irresistivelmente atraída por uma mágica planta de Narciso, que brilhava em sua beleza e espalhava no ar um aroma maravilhoso. Quando Perséfone tocou a planta, o chão se abriu e ela foi engolfada pela escuridão da Terra, pelo Senhor do Mundo Inferior, e forçada a se tornar sua consorte.

Quando Hécate trouxe a notícia do rapto de Perséfone, Deméter, em sua dor e luto, retirou sua fertilidade da Terra, condenando-a a um estado perpétuo de inverno e esterilidade, e ela mesma se tornou uma velha mulher. Tocado pelas súplicas de Deméter, Zeus ordenou que o Senhor do Mundo Inferior libertasse Perséfone, e ele concordou. Ainda que de início Perséfone se recusasse a comer ou beber no Mundo Inferior, ela sentiu-se tentada a comer um punhado de sementes de romã. O reencontro entre Perséfone e Deméter foi de grande alegria, mas, ao saber que a filha comera as sementes de romã, Deméter se deu conta de que Perséfone ainda pertencia, em parte, ao Senhor do Mundo Inferior. Reconhecendo esse compromisso, Deméter permitiu que Perséfone voltasse ao Mundo Inferior por um ano, sabendo que ela retornaria para passar o restante do tempo na superfície, junto à mãe.

O mito de Perséfone e Deméter pode ser interpretado de várias formas, mas o cerne da história, ou seja, o conceito de um ciclo que se repete, é evidenciado em todas as interpretações. Deméter era a Deusa dos frutos da Terra, e em particular do milho, e sua filha era a força vital da Terra e do grão de milho. A descida de Perséfone ao Mundo Inferior provoca o retraimento das energias criativas, que deixa a Terra, sua mãe, com a aparência de uma velha mulher, num inverno estéril. A ascensão que se segue restabelece a força vital da Terra com a primavera e faz com que a mãe de Perséfone volte a ser jovem. Perséfone, assim como o grão de milho, permanecia nas profundezas da Terra, como representação da morte, durante o inverno, para despertar para uma nova vida na primavera. Ou seja, era um símbolo da morte e do renascimento do espírito.

A história também possui um forte simbolismo relacionado à menstruação e o primeiro sangramento. Perséfone é a Donzela virgem retirada do mundo cotidiano para a escuridão do Mundo Inferior. O Senhor do Mundo Inferior faz dela sua consorte, proporcionando-lhe a primeira experiência sexual, e desperta sua vontade de comer o fruto da Árvore da Vida, a romã. Aqui, o papel do Senhor do Mundo Inferior corresponde ao papel da serpente em outras histórias. Como já mencionado, a serpente era vista como uma criatura do Mundo Inferior que guardava a Árvore da Vida e seus frutos de menstruação.

Quando Perséfone retorna para a mãe, Deméter se dá conta de que a filha comera o fruto menstrual e que, por essa razão, não pertenceria mais somente a ela, mas também à escuridão do Mundo Inferior. Deméter, por fim, aceita o padrão cíclico e dual de sua filha e permite sua descida cíclica à escuridão da menstruação. Apenas com a sua descida é que Perséfone pode se tornar mulher e mãe. Em algumas versões da história, Perséfone é representada em seu retorno do Mundo Inferior com uma criança, o fruto da sua união com o Senhor do Mundo Inferior.

O caminho de Perséfone ao primeiro sangramento é inevitável e rompe a ligação mãe e filha entre ela e Deméter. Perséfone nunca voltará a ser criança depois de experimentar o fruto da menstruação. A ruptura provoca grande dor em Deméter, e ela lamenta a perda da filha, mas, ainda que tenha perdido a conexão original com a filha, ela percebe e aceita que ganhou uma nova conexão com ela, por meio da própria condição de mulher adulta. Essa ligação é expressa na menstruação de Deméter, com o retraimento da fertilidade da Terra e sua imagem como velha mulher, no momento em que a filha "desce" para sua própria menstruação. Juntas, as duas se retiram. Quando tem permissão para descer regularmente ao Mundo Inferior, Perséfone pode então liberar os dons criativos da feminilidade no mundo.

Assim como Perséfone, quando a cada mês a mulher desce ao Mundo Inferior da menstruação, ela entra em contato com um sentimento de perda e, como Deméter, se torna uma mulher velha e estéril, no inverno do seu ciclo. No Mundo Inferior, ela se renova e se torna jovem outra vez, direcionando suas energias para fora e despertando mais uma vez sua fertilidade e energias dinâmicas. A mulher em fase menstrual é ambas as personagens, Perséfone e Deméter. *Deméter é seu corpo e Perséfone é sua consciência e suas energias criativas.*

Perséfone também pode representar o conceito lunar de uma nova vida inerente à velha. Perséfone, como filha de Deméter, é fisicamente parte de Deméter. Ela é a Lua escura crescendo em luz, enquanto Deméter é a Lua cheia crescendo em escuridão. Perséfone é o passado de Deméter e seu próprio futuro, e Deméter é o futuro de Perséfone e seu próprio passado. O ciclo é infinito, e as deusas são aspectos diferentes do mesmo ciclo ou da mesma Deusa.

Ainda que esse seja um cenário complexo para a compreensão de uma criança, ele pode ser usado num ritual para ajudá-la a se identificar com ele e sentir o retiro e o retorno de Perséfone. O simbolismo pode ser explicado aos poucos, à medida que a menina cresce e amadurece. Algumas das imagens da história original talvez precisem ser adaptadas para facilitar o entendimento da criança e evitar que ela se assuste. A cena do rapto, por exemplo, pode ser substituída por uma explicação de que Perséfone foi irresistivelmente atraída pela beleza da voz do Senhor do Mundo Inferior.

Além disso, a história de Perséfone e Deméter é uma guia para as mães, devido à identificação com Deméter. A mãe precisa sentir a perda da sua filha e o luto que se segue, para aceitar a transformação que leva a filha a ser uma mulher adulta. Ela precisa não apenas aceitar ela mesma essa mudança, mas também assegurar que a filha a veja celebrar a mudança e criar uma ligação entre as duas. No rito de passagem da menina, não basta que somente a criança sinta a transformação pela qual ela passa, mas é necessário que a mãe também possa senti-la.

CRIE UM RITO DE PASSAGEM

Na ocasião do primeiro sangramento da sua filha, procure passar um tempo extra com ela, para expressar essa conexão especial entre vocês duas e ter oportunidade para ensinar algo sobre o ciclo e ouvir as perguntas dela. Sobretudo, veja esse momento como uma chance de lhe mostrar seu amor e lhe oferecer apoio e segurança. Empenhe-se para fazer com que o dia inteiro do rito de passagem seja especial para ela. Escolham algo que considerem "festivo", quem sabe criar uma ocasião familiar, se sentir que isso está de acordo com o que ela deseja.

A escolha do ambiente e do cenário para o rito de passagem da sua filha dependerá das necessidades e da consciência dela e também de suas próprias tradições, percepções e crenças. De todo modo, as orientações a seguir podem ajudar a criar uma estrutura para o rito. Elas podem ser incluídas no ritual na ordem que você preferir.

1. Alguma forma de afirmação do amor e apoio constantes da mãe em relação à filha.
2. A morte simbólica da criança e o luto da mãe; o despertar da jovem mulher e a alegria da mãe.
3. Algum ensinamento, como: o significado do rito e seus símbolos/suas imagens; as dádivas da condição de mulher adulta; a dualidade da mulher; sua ligação com a Lua e as estações; a necessidade da "descida" mensal, para trazer as energias criativas ao mundo; a força e a beleza que vêm com a feminilidade; a necessidade da menina de tentar se lembrar dos seus sonhos durante o período do primeiro sangramento.
4. As boas-vindas da filha à irmandade de todas as mulheres e da Lua.
5. Uma mudança na rotina da filha ou em suas responsabilidades, ou o abrandamento de uma restrição, como reflexo da sua nova condição.

Talvez você queira incluir outras mulheres no ritual da sua filha, familiares do sexo feminino ou amigas, mas esteja atenta ao modo como sua filha reage à ideia de estar em grupo. Talvez você também queira convidar algumas mulheres para ensinar e orientar sua filha com relação ao seu ciclo e suas energias. Essas mulheres podem ser vistas como "fadas madrinhas" ou "mães lunares", propiciando iniciação e mudança à vida da menina, ensinando-a a valorizar a sua menstruação como uma dádiva, sem que precise sentir vergonha, ódio ou culpa.

    O rito pode ser concluído oferecendo-se à jovem mulher um símbolo físico da sua transformação em mulher adulta. Você pode enfeitar os cabelos dela com fitas vermelhas, mostrando a ligação e o entrelaçamento do ciclo menstrual com as energias criativas; pode dar a ela um cinturão simples feito com fitas do seu próprio cinturão; ou presenteá-la com a imagem de um unicórnio, de uma borboleta, da Lua, de uma maçã ou qualquer símbolo que possa ter um significado para você e para ela. Após o rito, celebre de alguma forma, talvez com uma refeição em família. A passagem para a condição de mulher é um acontecimento a ser celebrado, não somente pela sua filha, mas também por você, pelo pai e por outros membros da família.

A FILHA EM FASE MENSTRUAL
Depois do primeiro sangramento, inicia-se o processo de orientar sua filha para que ela conheça melhor o seu próprio ciclo. Incentive-a a registrar por escrito seus sentimentos e sonhos e ajude-a a interpretar qualquer imagem menstrual ou de Animais Lunares que lhe possa ocorrer. Pouco a pouco, ajude-a a reunir esses registros na sua primeira Mandala Lunar. Mantenha seu próprio registro das fases da sua filha, dos seus estados de espírito e expressões e use esses registros com a Mandala Lunar dela, como base para guiá-la em seu entendimento e ajudá-la a enfrentar as exigências da vida e de sua natureza. Até que ela mesma possa conscientizar-se do seu ciclo, saiba liberar suas energias de forma controlada e reconheça seus momentos de sexualidade elevada, você precisará promover essa consciência nela.

Se você ainda não mostrou à sua filha suas próprias Mandalas Lunares, mostre-as e deixe que ela saiba como você interpreta e expressa seu próprio ciclo, comparando-o com o dela. Ofereça-lhe compreensão quando ela não conseguir lidar com as demandas da sua natureza feminina, do próprio corpo e da sociedade, e em troca você também receberá a compreensão dela. No entanto, não lhe imponha a expectativa de um ideal que ela deva viver, mas lhe dê o entendimento de que, na sociedade, cuja orientação não é feminina, ela oscilará entre ser leal à sua própria natureza e ser leal à sociedade. Ensine a ela que, para chegar a um equilíbrio, é preciso aprender com a própria experiência, e que ela não deve alimentar nenhuma culpa pelo fato de não conseguir manter equilíbrio o tempo todo.

Ajude a sua filha a encontrar maneiras de liberar e expressar suas próprias energias. Mostre-lhe suas próprias expressões, mas não espere que sejam apropriadas a ela. Guie-a na formação de imagens e símbolos que expressem seus sentimentos e com os quais ela possa se identificar, e ajude-a a dar forma a eles por meio da pintura, da música, das Mandalas Lunares, da dança e do artesanato. Se ela tem um cinturão, ensine-a a usá-lo como uma forma física de expressão do seu próprio ciclo e conte-lhe sobre o simbolismo do seu próprio cinturão.

Continue a exercer o papel de contadora de histórias durante a aprendizagem da sua filha, mas comece a lhe mostrar como usar as histórias em visualizações e meditações. Talvez você queira usar algumas das visualizações deste livro ou criar as próprias.

Deixe que a sua filha lhe mostre quanto ela deseja saber, quanto ela quer aprender com você e quanto quer aprender sozinha. À medida que ela se desenvolve e amadurece, você poderá descobrir que o ciclo físico dela, a consciência das próprias fases, a interpretação e a expressão do próprio ciclo são bem diferentes das suas. Talvez você descubra que ela adotou uma nova abordagem que você não tinha considerado ou que ela reconhece ou renova as próprias necessidades de expressar seu ciclo de formas novas e emocionantes. Lembre-se de que as energias e a percepção da Donzela ou jovem mulher que você foi ainda estão vivas em você uma vez por mês e aproveite essa fase para identificar o estágio pelo qual sua filha está passando. À medida que a menina se conscientiza do seu próprio ciclo, a compreensão dela a respeito do papel que você exerce como mãe também aumentará, graças à experiência dela com sua própria fase da Mãe.

O conhecimento do ciclo natural das mulheres precisa ser desperto nas meninas. Ainda que as interpretações mudem no decorrer das gerações, a essência básica da natureza feminina e das energias associadas a ela continuarão a se manter. Essa é uma "tradição feminina" que você transmitirá à sua filha; não a linguagem, os símbolos ou as imagens, mas a consciência, a experiência e a expressão da natureza cíclica por meio das energias criativas.

O papel de passar adiante essa tradição não é apenas das mulheres que são mães e têm filhas. Todas as mulheres, por meio da sua expressão e aceitação da natureza do seu ciclo menstrual e das suas energias, oferecem orientação às outras. A aceitação das maneiras pelas quais expressar sua espiritualidade, sexualidade e criatividade valida os dons da feminilidade e demonstra respeito por eles, independentemente da sua forma ou interpretação. A expressão disso por meio da música, do teatro, da dança, da contação de histórias, etc., forma uma coleção de imagens e arquétipos que oferecem à sociedade uma visão mais completa da natureza feminina. O poder dos arquétipos e das imagens menstruais consegue atingir dimensões mais profundas que o intelecto e, uma vez que ele seja desperto na sociedade, ela própria reagirá a ele. Todas as mulheres, sejam jovens, esposas, mães, tias, irmãs, mulheres menopáusicas, pós-menopáusicas ou avós, têm seu papel em ensinar a consciência e a aceitação da feminilidade para outras mulheres, assim como para as crianças e a humanidade.

Os ritos da maternidade

Outra passagem na vida de uma mulher que não é mais celebrada por meio dos ritos de passagem é a interrupção da menstruação por ocasião da gravidez e o despertar para a maternidade. Ainda que o próprio nascimento do filho constitua o aspecto físico da mudança dessa mulher, muitas vezes ela fica com o sentimento de que a experiência moderna de dar à luz não satisfez suas necessidades interiores e emocionais.

Uma mulher grávida tem seu ciclo mensal interrompido com a concepção e progressivamente se sintoniza com as mudanças em seu corpo, que acompanham o crescimento da criança e culminam no seu nascimento. Como a mulher na menopausa, a mulher grávida sai do ritmo do seu ciclo menstrual. No entanto, enquanto a mulher menopáusica permanece na fase interior da Lua escura, a mulher grávida permanece na fase exterior da Lua cheia. Ela carrega em seu corpo a nova vida que cresce, como a luz cada vez mais intensa da Lua crescente. Suas energias criativas ganham forma no mundo exterior, na formação física da criança, na ligação emocional entre a mulher e a criança que cresce em seu ventre, na construção dos laços mais profundos com seu parceiro e na criação de um ambiente seguro ao qual trazer a criança. Ela se torna a ponte física entre os dois mundos por meio de seu corpo, tornando-se um portal entre o manifesto e o não manifesto.

No folclore e nas lendas, o papel da mãe é muitas vezes o de oferecer orientação, cuidados, compaixão, amor, carinho e compreensão ao filho, mas ela também pode ser a fonte das próprias histórias e a catalisadora de mudanças nos acontecimentos. Com frequência, são as ações dela, as circunstâncias em que ela se torna mãe ou sua própria morte que impulsionam o herói/a heroína na direção dos eventos e desafios da história. No passado, diferentemente dos papéis passivos e delicados desempenhados pelas mães nas imagens modernas, a mãe tinha um papel forte e desencadeador de crescimento e consciência. A mudança da condição de mulher para a condição de mãe lhe confere uma profunda força interior não vivenciada antes.

O nascimento de um filho provoca uma mudança na percepção que a mulher tem da vida, e ela passa a dar menos importância à liberdade individual e mais à dedicação e responsabilidade pela criança. Ela se torna aquela que nutre e apoia os outros, encarnando as imagens lendárias da Mãe Terra, do Santo Graal, da égua branca da Soberania e da Lua cheia. Como muitas deusas antigas, ela carrega o título de "Senhora da Vida", "Senhora da Alegria e da Abundância", "Formadora de Reis" e "Útero Aberto". É a falta de reconhecimento dessas imagens por parte da sociedade moderna que precisa ser sanada por meio da reintrodução dos ritos de passagem contemporâneos na ocasião da maternidade.

Depois do parto, a mulher recupera fisicamente seu ciclo menstrual, mas também precisa voltar a ele do ponto de vista emocional. Ao deixar a fase da Mãe após o parto, a mulher se retira para a sua escuridão interior, em sua necessidade de se renovar e retornar à sua natureza cíclica. Esse retiro pode ser sentido como uma depressão, caso a mulher não reconheça a necessidade de renovação para que as energias criativas possam ser trazidas uma vez mais ao mundo. Esse retiro não deveria resultar em nenhuma culpa ou sentimento de ser uma mãe "ruim", mas deveria ser aceito como a fonte de suas futuras energias. Alguma forma de rito de passagem pós-parto pode ajudar a mulher a aceitar essa experiência natural e empoderadora.

O rito de passagem para a maternidade pode ser dividido em três partes: um ato simbólico preliminar que corresponda à interrupção da menstruação devido à gravidez; o despertar da mulher para a maternidade, com o nascimento da criança e sua subsequente descida ao Mundo Inferior; e, por fim, seu ressurgimento como mulher cíclica, com a primeira menstruação pós-parto. Esse ato preliminar pode envolver imagens relacionadas à mulher que deixa o ritmo menstrual para permanecer em sua fase Mãe durante a gravidez, e a identificação da vida que cresce dentro dela com a Lua e a Terra. O rito principal pós-parto pode envolver o despertar da mulher para o seu papel de mãe, as boas-vindas a essa nova fase da sua vida e o reconhecimento de seus primeiros passos no Mundo Inferior a fim de renovar as energias. O rito final, da menstruação renovada, poderia ser uma celebração, uma vez que ela renasce, como Perséfone na primavera, renovada, restaurada e fértil.

Esses três atos simbólicos constituem, juntos, um rito de passagem que reconhece e provê o aspecto espiritual da gravidez e do parto, hoje tão ausente na moderna religião ortodoxa e nos métodos de parto utilizados.

Os ritos da menopausa

Os ritos de passagem também podem ocorrer em outros momentos da vida de uma mulher. Alguns, como o casamento, costumam ser celebrados, mas outros não. Isso faz com que as mulheres tenham a necessidade de encontrar uma forma de expressão que marque essa transição. Assim como a menarca, a menopausa é uma mudança dramática na expressão física e na percepção mental da feminilidade e, como tal, pede alguma forma de reconhecimento. É interessante notar que a transformação operada nas mulheres por ocasião da menopausa tornou-se, nos últimos anos, mais aceitável socialmente. Hoje, fala-se de modo mais aberto sobre a menopausa. Ela é aceita e levada em consideração na medicina, no ambiente de trabalho e nos projetos de vida. Isso nos traz esperança de que o ciclo menstrual possa sair da sua condição de tabu em que permanece há tanto tempo e também ganhar aceitação na sociedade.

A menopausa afeta as mulheres de muitas formas e pode começar com o ritmo menstrual regular tornando-se cada vez mais irregular. Ao contrário da mulher que não tem conhecimento da sua verdadeira natureza, aquela que esteve consciente de suas fases ao longo da sua vida menstrual está mais preparada para aceitar os sintomas e significados da menopausa. Para a mulher consciente, os ciclos erráticos são as dádivas finais a ela concedidas antes que seu ciclo termine e, com ele, a percepção cíclica das suas energias. Como a criança, a mulher na pós-menopausa canaliza todas as suas energias criativas numa só direção. Contudo, diferentemente da orientação exterior das energias da criança, as energias da mulher pós-menopáusica são direcionadas para dentro. Se as energias da criança são vistas como lineares e aquelas da mulher em fase menstrual são cíclicas, as energias da mulher pós-menopáusica podem ser consideradas como um *ponto*, ou uma única fonte de energia.

A condição menstrual feminina consiste numa série de descidas ao mundo interior, a cada menstruação, com o objetivo de renovar e trazer de volta as energias criativas ao mundo exterior. A mulher na menopausa penetra na sua escuridão interior, mas não retorna renovada para sua fase jovem por meio da liberação do sangue. Ela não passará mais por essas transformações e permanecerá na fase do seu mundo interior. Ao contrário da mulher em fase menstrual, suas energias não se manifestam no mundo material, mas em vez disso ganham forma em seu mundo interior. Sua percepção da vida não é mais cíclica, mas equilibrada entre os mundos interior e exterior.

Desse ponto vantajoso de constante consciência de ambos os mundos, a mulher pós-menopáusica é por si uma sacerdotisa natural, xamã, curandeira e visionária. Ela tem acesso contínuo à dimensão espiritual da vida, que só é acessível à mulher em fase menstrual uma vez por mês. A consciência e a visão trazidas por essas mulheres mais velhas eram amplamente reconhecidas em culturas passadas – nas quais essas mulheres eram reverenciadas como guias, conselheiras e detentoras da tradição – como a ligação entre o espírito ou o mundo ancestral e a comunidade.

Nas lendas do Graal, a anciã Igraine, mãe do Rei Arthur, retira-se da corte e vai para outra dimensão, a fim de governar o Castelo das Donzelas. Mesmo não sendo mais ativa na corte, ela influenciava o rei e o guiava desde o outro mundo, sendo vista como detentora da tradição feminina e a tecelã do destino do filho. Como mulher pós-menopáusica, ela reside em seu mundo interior, percebendo e interagindo com o mundo exterior, porém com base na perspectiva espiritual. Ela não é retratada como fraca, decadente ou frágil, e sim como alguém forte e poderoso.

Como Rainha do Castelo das Donzelas, o símbolo de Igraine reflete o papel de educadora que a mulher pós-menopáusica tem para as jovens mulheres, em particular para a menina na fase menstrual. No rito do primeiro sangramento, a mulher mais velha representa a dimensão interior em pessoa, que atravessa todas as fases do ciclo menstrual. Sua percepção não é limitada pela fase do seu ciclo, pois ela está além delas, e dentro de si ela incorpora todo o ciclo. Como mulher pós-menopáusica, ela detém a experiência do seu passado menstrual e tem o dom de tocar o futuro. Além disso, suas experiências lhe dão confiança em relação à morte e ao ciclo natural da vida, a qual ela pode transmitir por meio dos seus ensinamentos. Ela é a fase da menstruação, e por meio da retenção de suas energias menstruais e de seu sangue, ela é o sangue menstrual. Em *Branca de Neve* e *A Bela Adormecida*, é uma mulher velha que traz o início da menstruação, porque nessas histórias ela representa em si mesma o verter do primeiro sangue.

A mulher pós-menopáusica tem o dom de oferecer à filha o conhecimento e a experiência do mundo espiritual, a fonte da criatividade divina e a espiral da linhagem. Ela também tem a capacidade de amar e cuidar dos outros, indo além do papel de nutridora e amparadora, mas também de iniciadora da consciência espiritual. Mesmo numa sociedade tão materialista, esse contato com o mundo interior e da dimensão espiritual se reflete no enorme número de mulheres mais velhas que fundam religiões e congregações espirituais. Como a mulher

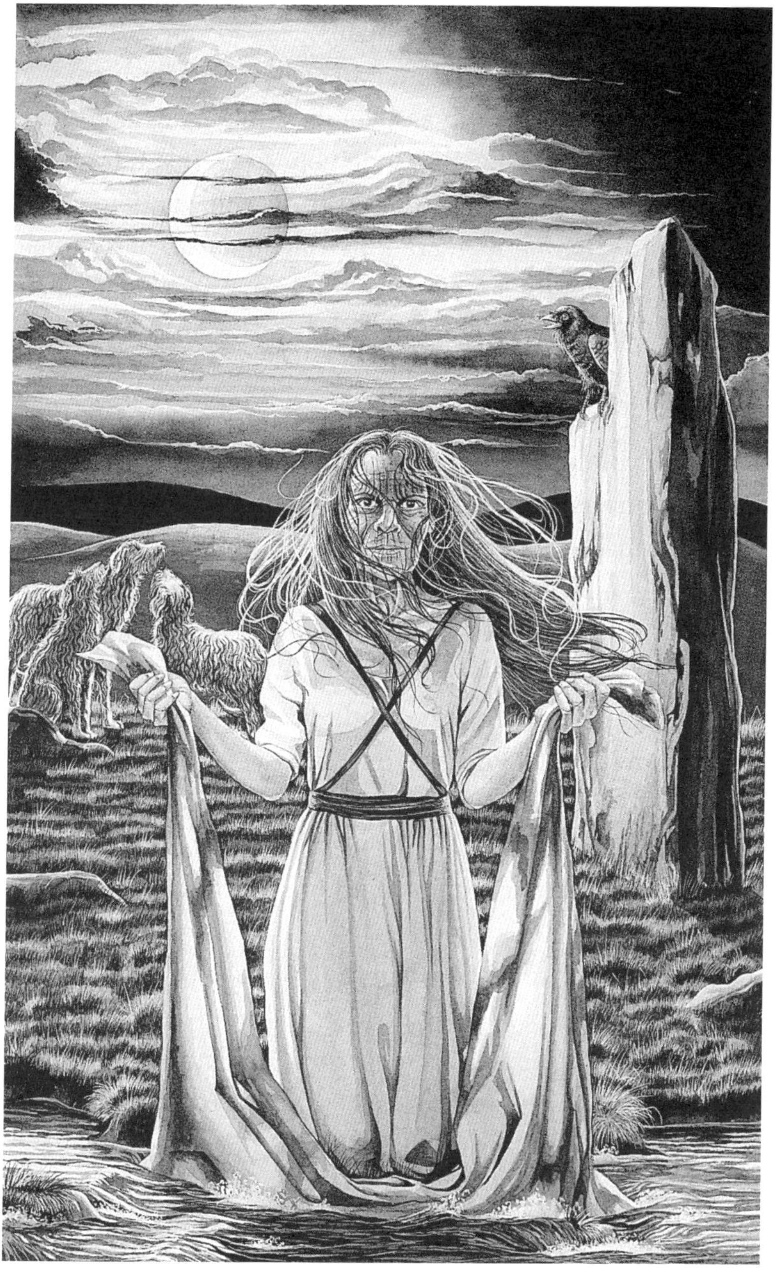

pós-menopáusica é uma guia espiritual ativa e uma iniciadora, todas as mulheres pré-menopáusicas são suas filhas e todas as outras mulheres pós-menopáusicas são suas irmãs.

Os ritos de passagem associados à menopausa marcam a aceitação da morte da antiga percepção cíclica feminina e do eu despertar para o mundo espiritual. Eles podem começar com um rito que marcará a perimenopausa, período em que o corpo da mulher começa a se preparar para a menopausa e que, muitas vezes, começa por volta dos 40 anos. A criação de um rito nesse momento pode ajudar a preparar a mulher mental e emocionalmente para a menopausa. Ritos posteriores podem levar em conta a irregularidade do ciclo, à medida que a mulher passa mais tempo no Mundo Inferior e, então, sinalizar a descida final à escuridão, a fim de que ela se torne a Rainha do Mundo Inferior, a condutora de almas e a Mãe Escura. Assim como no rito da primeira menstruação, a mulher que está passando pelo ritual necessita sentir que, a partir dele, uma mudança ocorreu na percepção que ela tem da vida. Por isso, o ritual precisa ser ajustado de acordo com cada pessoa. As sugestões a seguir podem ser adaptadas para diversos rituais e ações simbólicas, dependendo do que cada mulher achar mais apropriado.

1. O reconhecimento da perimenopausa e a preparação do corpo para a mudança.
2. O reconhecimento emocional do início da fase da vida da Feiticeira; a tristeza pela perda da fertilidade e da juventude; e o entusiasmo com o empoderamento crescente do mundo interior.
3. A aceitação dos ciclos irregulares e a gratidão pelas suas últimas dádivas.

4. A descida derradeira à escuridão e a morte da antiga percepção.
5. O despertar para a escuridão como Rainha do Mundo Inferior ou Mãe Escura.
6. O entusiasmo diante da chegada de um futuro emocionante e o estabelecimento, na escuridão, de metas a serem cumpridas no mundo cotidiano.

As visualizações a seguir podem ser usadas como parte do rito, a fim de ajudar a mulher a aceitar e reconhecer a beleza e a magia da transformação em sua vida.

Exercício: A Preparação da Perimenopausa

Durante seus ciclos, comece a prestar mais atenção às fases da Feiticeira e da Bruxa Anciã. Procure se sentir confortável com a escuridão crescente, a criatividade e a intuição inspiradora da fase da Feiticeira. Saiba que você está transitando para um período de magia selvagem, de energia sexual e inspiração, com a oportunidade de se libertar da bagagem emocional do passado, de se preparar para agir e se reinventar de forma completamente nova. Anime-se com as mudanças, sinta-se acolhida nos braços da Mãe Escura e de suas irmãs e empoderada para criar novos sonhos e nova vida.

Na fase da Bruxa Anciã, acolha a escuridão e a quietude. Sinta que você não tem nada a alcançar ou a provar para sentir-se amada e aceita. Pense naquilo que você faria, como se sentiria e como se comportaria se pudesse se sentir amada e aceita por inteiro. Saiba que a fase da Bruxa Anciã é a fase da beleza e do amor profundos e que você está avançando em sua direção.

Exercício: A Visualização da Menopausa

Realize essa visualização num cômodo escuro. Comece acendendo uma vela diante de você e fechando os olhos. Aos poucos, relaxe o corpo e respire fundo.

Visualize-se de pé na planície descrita na "Visualização do cinturão", do Capítulo 4. Você observa a Lua crescente que nasce no leste e vai se preenchendo até se tornar cheia no sul, começando então a diminuir no oeste e adentrando a escuridão no norte. Assista o ritmo por alguns ciclos e sinta também o ritmo das suas próprias energias, associadas às diferentes fases, que fluem por seu corpo e sua mente. Deixe que a consciência das energias siga o declínio da Lua minguante para a escuridão da Lua escura e permaneça na escuridão. Observe a Lua crescente nascer diante de você, preencher-se até se tornar uma Lua cheia e retornar até você em quarto minguante. Sinta sua escuridão envolver e dar forma a cada fase luminosa. Você não precisa mais se apegar ao ciclo: você é o ciclo.

Permaneça algum tempo na escuridão, observando o ciclo lunar até estar pronta para voltar ao mundo exterior. Abra os olhos e fite a vela, sentindo que agora você é a escuridão que envolve a chama, na qual sua luz se torna manifesta.

A forma como a mulher encara seu futuro sem ciclo menstrual depende de como ela passou sua vida menstrual. Para muitas mulheres, o término do seu ciclo encerra a fase orientada para atender às necessidades das outras pessoas e inicia uma fase em que elas poderão se dedicar a elas mesmas. Um rito de passagem na menopausa permite que uma mulher aceite seu passado, viva o luto pela sua perda e enfoque sua nova percepção da vida. Isso lhe permite sentir o fim de uma parte da sua vida e o início de outra, nova e emocionante. A entrada na menopausa algumas vezes é vista como um sinal de decadência, de uma inutilidade crescente e dos primeiros indícios da morte; mas, como em cada uma das fases do ciclo menstrual, trata-se apenas de uma fase do ciclo da vida que, se acolhida e aceita pelo que é, pode oferecer às mulheres mais satisfação e expressão. A mulher pós-menopáusica já atravessou, em cada mês do decorrer de sua vida menstrual, todas as fases de sua própria vida e, portanto, as energias da mulher anciã e a transformação final que advém da morte não precisam mais lhe causar medo.

Posfácio

SUA COMPREENSÃO DO SEU PRÓPRIO ciclo menstrual e sua interação com ele são um processo de aprendizado que seguirá por toda a sua vida menstrual. O resultado não será uma alteração repentina nos sintomas ou na regularidade de seu ciclo, mas você começará a aceitar, entender e acolher as energias e os dons que cada fase traz e a equilibrá-los em sua vida. Haverá momentos em que as demandas e os compromissos da vida moderna impedirão que você fique completamente atenta à sua natureza feminina. Contudo, você ainda será capaz de despertar a ligação entre sua mente, seu corpo e suas energias criativas na primeira oportunidade.

A consciência e o conhecimento obtidos por meio do ciclo menstrual crescem e minguam como a Lua. Os *insights* obtidos numa determinada fase do ciclo podem se perder na seguinte, por isso a busca pelo conhecimento do ciclo menstrual se torna uma espiral contínua no decorrer da vida menstrual da mulher, na qual ela está sempre aprendendo e reaprendendo. A única constante é o aqui e agora, a fase que você vivencia no momento e a percepção e o conhecimento que ela traz.

Lua Vermelha começa com uma história que oferece imagens da natureza da mulher. Histórias do ciclo menstrual e dos dons do feminino foram contadas no passado e continuarão a ser contadas no futuro, mudando para sempre a percepção e a interpretação sobre elas e continuando sempre as mesmas. A história da natureza feminina não tem um significado definitivo, não tem princípio nem fim, mas está eternamente viva em toda e cada mulher.

Créditos das Ilustrações

"A borboleta" (p. 101), extraída do baralho *The Beasts of Albion*, de produção independente, escrito e ilustrado por Miranda Gray. © Miranda Gray.

"Washer at the Ford" (p. 285) e "Lady of the Lake" (p. 244) por Miranda Gray, extraída de *The Arthurian Tarot*, de Caitlín Matthews e John Matthews. © Miranda Gray, Caitlín Matthews e John Matthews.

"October" (p. 85), "July" (p. 268), "April" e "August" (p. 202), por Miranda Gray, extraídas de *Gaia's Treasure Millennium Calendar*. © Miranda Gray.

Todos os demais diagramas e ilustrações são da autoria de Miranda Gray. © Miranda Gray.

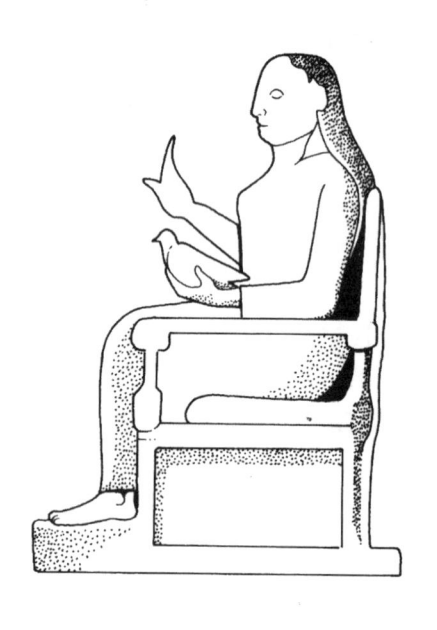

GRUPO EDITORIAL PENSAMENTO

O Grupo Editorial Pensamento é formado por quatro selos:
Pensamento, Cultrix, Seoman e Jangada.

Para saber mais sobre os títulos e autores do Grupo
visite o site: www.grupopensamento.com.br

Acompanhe também nossas redes sociais e fique por dentro dos próximos lançamentos, conteúdos exclusivos, eventos, promoções e sorteios.

/ editoracultrix
editorajangada
editoraseoman
grupoeditorialpensamento

Em caso de dúvidas, estamos prontos para ajudar:
atendimento@grupopensamento.com.br

Pensamento Cultrix SEOMAN JANGADA
GRUPO EDITORIAL PENSAMENTO